CB137584

Copyright © 2022 Ler Editorial

Texto de acordo com as normas do novo acordo ortográfico da língua portuguesa (Decreto Legislativo Nº54 de 1995).

Todos os direitos reservados. Proibida a reprodução total ou parcial, de qualquer forma ou por qualquer meio, mecânico ou eletrônico, incluindo fotocópia e gravação, sem a expressa permissão da editora.

Editora – Catia Mourão
Ilustração – Felipe Amorim
Capa – Joice Dias
Diagramação – Catia Mourão
Revisão – Hanny Saraiva e Halice FRS

CIP-BRASIL. CATALOGAÇÃO NA PUBLICAÇÃO
SINDICATO NACIONAL DOS EDITORES DE LIVROS, RJ

S697f

Sousa, Lucas de
A fórmula mágica de Teodoro / Lucas de Sousa ; ilustração Felipe Amorim. - 1.
ed. - Rio de Janeiro : Ler, 2022.
172 p. ; 21 cm.

ISBN 978-65-86154-47-4

1. Ficção. 2. Literatura infantojuvenil brasileira. I. Amorim, Felipe. II. Título.

22-75488 CDD: 808.899282
CDU: 82-93(81)

Meri Gleice Rodrigues de Souza - Bibliotecária - CRB-7/6439
12/01/2022 13/01/2022

Foi feito o depósito legal.
Direitos de edição:

Ler Editorial

A FÓRMULA mágica de TEODORO

LUCAS DE SOUSA

1ª edição
Rio de Janeiro – Brasil

Para meus irmãos, Bruno e Rafael, e para Michel,
o menino do sorriso mais bonito.

Sumário

Capítulo 1

Teodoro acordou com a cabeça fervilhando de ideias. Não que isso fosse uma estranha novidade, mas daquela vez parecia algo ainda mais curioso, ainda mais fantástico. Sentiu os raios de sol entrarem pelas frestas das janelas do seu quarto quando finalmente levantou-se da cama e correu para o quintal, ignorando o aviso estridente de sua mãe vindo da cozinha de "OLHA O CAFÉ", enquanto ela se preparava para dar início ao seu ritual predileto do dia: cortar pepinos.

Teodoro morava em uma incrível fazenda, onde tudo era espaçoso e cheirava a mato, terra e *caca* de vaca. E falando em vaca, viviam muitas — soltas e presas —, assim como muitos animais que Teodoro adorava brincar. Era divertido estar perto deles. As galinhas, todas quase sempre muito desligadas, os patos quase sempre mal-humorados, os porcos sempre cobertos de lama preparados para sujá-lo a qualquer momento que passasse por perto.

Os cavalos, os animais mais legais, eram extremamente bem cuidados e ficavam quase sempre presos para evitar novas confusões, isso porque certa vez, na calada da noite, Teodoro resolveu montar num bem grande. Só não sabia o menino que o animal estava nos seus piores dias. Enfurecido como sua mãe ficava quando ele espalhava seus brinquedos no quarto e não arrumava, o cavalo atirou-se à frente, feito uma flecha, tremendo os lábios ao relinchar forte para as estrelas. Arrebentou o fecho da porta dupla do estábulo num estrondo que estremecera até a lua. Teodoro aproveitou a oportunidade para se lançar sobre um amontoado de palha e viu o animal sumir noite adentro. Se o cavalo fosse capaz de falar, certamente estaria gritando *"Estou livre!"*, galopando e relinchando rumo ao seu destino incerto.

Claro que no dia seguinte um mistério se acercou sobre o paradeiro de Filomeno (sim, o cavalo) porque Teodoro havia jurado aos seus pais que ele havia criado asas e voado. Ele tinha oito anos de idade na época, hoje estava com onze, um pouco baixo e magricela para sua idade, mas inteligente e criativo como nenhum dos demais colegas da sua escola.

Na fazenda onde morava não havia somente os animais, mas existia ali uma enorme variedade de árvores, de todos os tamanhos e formatos. Umas com seus troncos fortes e imponentes, outras retorcidas e frágeis, fáceis de subir. Essas eram as suas prediletas, não quando seus primos o visitavam, mas quando era possível subir lá no alto, de modo que seus cabelos ruivos e encaracolados sambassem ao sabor do vento, trazendo o aroma do fundo da floresta, lá da temível escuridão das matas.

Teodoro esquecia o tempo ouvindo a orquestra dos pássaros ao seu redor, colocando de tempo em tempo uma deliciosa jabuticaba na boca, sentindo aquele néctar doce e ardido ao mesmo tempo escorrendo língua abaixo, refrescando seus sentidos, atrasando o relógio. O sibilar do vento, enquanto isso, acariciava a grama verde lá debaixo, envergando algumas flores, limpando a copa das árvores das folhas velhas e secas, tomando rumo à frente e indo de encontro à enorme fazenda do vizinho rico.

Ah, o vizinho... Sobre ele (ou pior, *eles*), deixarei para contar um pouco mais adiante.

Teodoro, desde os seus poucos anos de vida não preferia pé de moleque, nem maria-mole, nem mesmo paçoca. O que ele gostava mesmo era de uma boa carambola. Fresquinha, docinha.

Não havia reza certa que o fizesse vestir seus chinelos, por isso, na maioria das vezes, andava de um lado a outro descalço. Adorava sentir a terra, as cócegas produzidas pela grama, o gelado da lama ou o quente da terra ao sol. Ele bebia bastante água durante o dia e quando estava prestes a escurecer, ele corria para o quarto a fim de atualizar suas leituras dos quadrinhos mais incríveis sobre as curiosidades do mundo, incluindo peculiaridades da fauna e da flora. Talvez essa fosse a razão mais plausível para explicar o quão inteligente ele acabou se tornando.

Mas, naquele dia, ele se sentia diferente.

Tudo começou há duas semanas, quando os animais da sua fazenda começaram a ficar estranhos. Bem estranhos! As vacas pareciam ter tomado um tremendo susto porque seus olhos estavam esbugalhados de espanto, um dos porcos cacarejava e saltitava feito coelho. Alguns patos se tornaram alegres e risonhos de um dia para o outro, gargalhando como gente, grasnando palavras em *patês* como quem conta uma piada aos amigos. Os cavalos no estábulo uivavam quando era noite e ao alvorecer relinchavam ao som de "au, au, au". O menino notara também uma crescente tristeza neles, como que enfeitiçados por uma doença que estivesse cansando todos eles de ser algo que não eram. Uma tormenta ao instinto de cada um. Por isso, Teodoro não descansou os neurônios do seu cérebro pensando no que poderia ter causado essa doença tão estranha. Não havia água ou fruta que resolvesse aquela situação.

Seu pai, o senhor Augustos, chegou a mandar uma carta para seu avô, um admirador insaciável de pepino com mel, pedindo sua ajuda urgente. O velhote, beirando seus setenta e poucos anos, o respondeu sugerindo que lhes dessem remédio para verme goela abaixo. Mas seu pai não conseguiu curar uma galinha depenada sequer. Sua mãe, a senhora Graça, então, pediu que mantivessem seus olhos bem abertos porque poderia ter sido muito bem a peripécia de um Saci-Pererê. Eles surgiam da floresta e adoravam infernizar a vida dos seres humanos ou dos pobres animais, puxando o rabo dos cavalos ou queimando aquele bolo de chocolate que você sonha há meses para comer. Então, determinada, Graça espalhou garrafas vazias por toda fazenda e no sinal de qualquer ventania, fosse a mais fraca que fosse, preparava-se para agarrar o gorro do endiabrado, aprisionando-o numa das garrafas para sempre. Mas não curou um porco de rabo liso sequer.

Os tios gêmeos de Teodoro, um homem e uma mulher, os visitaram às pressas ao saber da curiosa notícia. Depois de muita análise, mexendo numa galinha aqui e num cavalo ali, descobriram juntos que, com certeza, tratava-se de uma doença chamada *vermeloucanite*. Uma moléstia terrível que atacava a barriga, subia para a cabeça criando embaraços alucinantes e escorria pelo nariz produzindo comportamentos nunca imaginados. Dois punhados de sal jogados ora dia, ora noite sobre os animais e pronto. Estaria resolvido, finalmente.

— Isso é ciência! — diziam sempre juntos.

A suposta *vermeloucanite* não foi curada, nem mesmo do cachorro Caramelo que começava a ganhar uma bela cabeleira estilo Elvis Presley e que a intervalos lambia o próprio olho. Porém, subindo e descendo da sua árvore preferida, correndo descalço de um lado para o outro e bebendo muita, muita água, Teodoro sentiu a cabeça formigar e teve uma incrível ideia.

Essa seria tiro e queda!

Capítulo 2

Antes de contar tudo sobre a incrível ideia de Teodoro, algo importante devemos saber. Na grande fazenda dos seus pais havia uma gigantesca plantação de pepinos e seu pai levava isso muito a sério. Participava de feiras agrícolas vez ou outra, o que lhe trazia enorme satisfação por ser dono dos pepinos mais saborosos e verdes da região. Porém, o que mais achavam incrível era que Augustos não usava remédio, nem mesmo agrotóxicos para os verem crescer saudáveis e apetitosos. Ficavam os homens de cabeças brancas e barrigas protuberantes boquiabertos, com olhos cheios de inveja, todos muito incrédulos. É que Augustos jurou de pé junto ao seu pai que jamais usaria remédio algum que pudesse prejudicar a plantação e os animais que moravam nas matas, próximos à fazenda.

João dos Pepinos, avô de Teodoro, pai de Augustos, conservaria uma intriga DAQUELAS com a família vizinha por isso. Adultos asquerosos, dos que jamais tiveram boa conversa. O nome de um deles era Abílio Abelho, fascinado por venenos, agrotóxicos, pesticidas. Quanto mais venenoso mais divertido parecia. Sua plantação de chuchu e berinjela tomava proporções cada vez maiores, não no tamanho da fazenda, mas no tamanho dos frutos. Houve tempo em que uma de suas berinjelas chegou a pesar cento e cinquenta quilos. Todos queriam ver a maior berinjela do mundo.

Sua esposa, Nadir Cadinada, uma mulher comprida, de braços magricelos e enormes, feito duas varas de bambu, sempre de nariz em pé e cara emburrada, chegou a cobrar ingressos para o magnífico evento. O que ninguém esperava ou imaginava era que uma criança boa de chute pudesse furar o bloqueio de adultos e com seu pé e boa mira chutasse o legume ao meio revelando, ao som de "Ó" da enorme massa de gente, uma berinjela completamente tomada de larvinhas felizes, cheias de fome, ávidas pela comida que jamais comeriam novamente, se não fosse o aumento do arsenal de venenos de Abílio Abelho dias depois.

Legumes maiores e assustadores tomaram sua curiosa plantação durante muito tempo, rendendo olhares indagadores e aproximação de pessoas cada vez mais loucas. A imaginação de Abílio não tinha limites para a maldade, o que acabava por torná-lo um homem ambicioso para a criação dos venenos mais potentes que pudessem existir no planeta Terra. Quanto mais inventava, mais destrutível se tornava.

Espirrou, certa vez, o *Vermesujosaidaí* cinquenta vezes por sua plantação de chuchu, repleto de felicidade. Não sabia o sabichão que nenhum bicho, nem mesmo gente conseguiria chegar perto dos seus legumes. Chuchus brilhantes ao sol, porém o cheiro que vinha deles era de cem baratas mortas depois de almoçarem repolho com cebola. Nadir amou a ideia da fedentina. Nenhum parente chato seria capaz de cruzar suas terras para encher sua curta paciência outra vez, mas Abílio era muito mais esperto do que se imaginava. Sua ganância não havia gostado nada, nada daquilo e logo tratou de reinventar aquele veneno. Se não agisse rápido, não conseguiria vender absolutamente nenhum chuchu, muito menos receberiam as visitas pagas para ver seus lindos legumes gigantes. E assim fez a mistura, colocando ingredientes terríveis, mas com cheiro de perfume para bebês.

Outra vez, numa tarde nublada de julho, Abílio, com aquela sua cara enrugada, sem nenhum fio de cabelo no cocuruto brilhante, olhos fundos sustentados por uma olheira bem escura, o que lhe dava um ar ainda mais assustador e mórbido, tratou de espirrar uma outra invenção das trevas, diretamente no solo onde ficavam mais precisamente suas berinjelas, negras como a noite sem estrelas. Era o *Plantecomogente* e fez nascer, curiosamente, legumes em formato de gente.

É claro que a bisbilhotice de repórteres foi aguçada e por isso foram tiradas muitas fotos que acabaram chegando até o presidente do Brasil, junto com um dos exemplares grotescos de um dos legumes parecidos com alguém que estivesse acabando de acordar. "Assustador e horrível", dizia a manchete no jornal da manhã seguinte, "mas continue tentando, Abílio", completava, no texto abaixo, em letras negras e garrafais.

Mas aquilo continuou lhe rendendo olhares curiosos, *flashes* de câmeras vindas de lugares misteriosos, manchetes nos jornais das mais esdrúxulas e todo dia chegava à sua casa uma encomenda diferente para aumentar o número dos xeretas, protegida por uma caixa de papelão grande o suficiente para caber um *kit* com suas misturas necessárias e mais um brindezinho quase sempre desnecessário. Porém, por mais eficiente que pudessem parecer, durante seus primeiros manuseios, o resultado que Abílio tanto desejava, não conseguia.

— Preciso de uma ideia dos diabos, uma ideia de outro mundo — dizia.

Nadir, sua esposa de braços compridos e nariz fino como uma agulha, anotava as ideias que escutava dele sem parar, até o instante inesperado em que Abílio parava de tagarelar, respirava fundo, encolhendo sua enorme pança e sorria aquele sorriso maquiavélico que só um vilão de filme de terror é capaz de fazer. Era um sinal para que Nadir parasse o que estivesse fazendo e ouvisse as ideias macabras do terrível marido. Apertando o lápis entre os dedos finos, certa vez, inclinava-se na mesa de carvalho do século XVIII posta em sua sala, para ouvi-lo melhor. Nadir, então, dissera-lhe no desejo mais intenso de ouvir uma ideia digna dos diabos:

— Seu porco peludo, diga logo o que está pensando!

Tamanha empolgação foi um engano, daquela vez. Abílio parecia sem ideias novas, um desastre da agricultura, um homem sem esperança de um futuro melhor. Fosse qual fosse o pensamento que passara pela cabeça dele, foi sugado e lavado pelo vento rápido assim como chegou. Não daria certo, afirmava a si mesmo, voltando sua atenção para a paisagem de sua janela.

— Estou dizendo... estamos completamente fritos — completou Nadir num choramingo infantil, escondendo o rosto com as mãos. Porém, como uma mágica infernal, a ideia que morava no vento, foi soprada para sua cabeça fazendo-a sorrir outra vez. — Tive uma ideia!

— Diga depressa, seu prego desengonçado! — rogou Abílio crispando os lábios, sem muitas esperanças.

Nadir parou por um momento como quem estivesse se machucando com os próprios pensamentos. Com os lábios repuxados para o alto, os olhos contemplando o lustre sobre a mesa… ainda calculava cada segundo das ideias que iam surgindo como ondas na sua cabeça.

— Como não pensamos nisso antes? — perguntou ela a si mesma em voz baixa, sentindo uma leve coceira no couro cabeludo. — Se nenhum veneno, nem mesmo o veneno mais venenoso de todos pôde ser capaz de nos dar legumes perfeitos, podemos juntar todos os agrotóxicos de uma vez e ver o que pode acontecer. *Vermesujosaidaí, Plantecomogente e Legumegigantenamesa*! — Terminou dando batidinhas na mesa com a empolgação nas nuvens.

— Isso será… será… — A palavra não saía com facilidade da boca de Abílio. — Será estonteantemente diabólica! — E foi falando e aumentando a voz a cada palavra, terminando tudo com uma gargalhada vinda do fundo dos seus pulmões. — Você é o bambu seco mais horripilante de todos.

Viviam se xingando, mesmo quando era para elogiar. Era um casal horrível e uma dupla medonha para João dos Pepinos e sua família.

Augustos, pai de Teodoro, herdara a fazenda de João porque, muito velhinho, foi morar na cidade grande com seus dois outros filhos numa casa próxima ao hospital, mas sempre escrevia cartas, emocionado de saudade e rogando mil e uma pragas às plantações de Abílio, na esperança de um dia ver aquela fazenda livre dos venenos que aquele homem tanto insistia em usar. Claro que seu uso não só prejudicaria a vida de Abílio e Nadir a longo (ou curto *mesmo*) prazo, mas sua família e os animais da floresta que moravam bem próximos também estariam ameaçados.

O estranho caso dos animais doentes da fazenda de Augustos, talvez pudesse ser explicado se ligássemos essas práticas ao que estava acontecendo, mas antes de culpar alguém (e isso é muito feio!), Teodoro teve sua curiosa ideia para combater esse estranho mal sem pensar muito nos culpados. Seria SIM sua invenção mais importante e, certamente, quando fosse retornar para as suas aulas e mostrasse o que havia criado para a sua professora preferida de Ciências, a Sra. Margô, ela não hesitaria um minuto e lhe daria um bonito 10. Se seus animais apresentavam uma doença, eles também deveriam ser apresentados a uma cura, um remédio tanto para o cachorro que lambesse o próprio olho como também para os porcos de rabinho liso.

Teodoro, então, faria os remédios e os curaria para sempre — ou não —, pensou mais um pouco, preocupado, quando acordou naquela manhã que tinha tudo para ser inesquecível.

Capítulo 3

A cabeça incrivelmente ruiva de Teodoro fervilhava quando o assunto era inventar. Sua mãe, quando não cortava pepinos, estava grudada nos livros sobre primeiros-socorros ou naqueles com figuras de ervas e suas propriedades curativas. Desenhadas em detalhes, o livro as exibia com informações logo abaixo da figura, todas as curiosidades desde as mais exóticas plantas que encontrava no próprio quintal até as mais raras, intocadas na escuridão da mata. Graça tornara-se a grande inspiração de Teodoro tanto para gostar de chá como também para elaborar suas ideias chamadas de malucas, porém incríveis, pelos amigos do colégio.

Teodoro adorava a movimentação que a escola ganhava em junho, quando a Feira de Ciências começava a se aproximar. Na barriga, o frio do nervosismo crescia feito uma bexiga que inflava e inflava a tal tamanho que fazia estourar num surto de desespero e intensa preocupação. Ele levava muito a sério os seus objetivos e por isso mesmo não desistia fácil diante das dificuldades, quase sempre entregando um trabalho impecável. Desde terra comestível para seres humanos (episódio esse que rendera uma terrível briga entre adultos e indefesas crianças por um punhado mísero de terra doce, sabor tangerina e que se mastigada umas dez vezes, com vontade, era transformada em sabor chocolate. Assim, como mágica!) até uma maquete construída numa redoma de vidro gigante onde o espectador era capaz de enxergar com detalhes a vida agitada de um formigueiro.

A terra comprimia o vidro, mas era capaz de ver as formigas perfeitamente, cavando buracos, tanto para cima como para baixo, comunicando-se entre si. Ainda expondo aos professores e alunos que se acotovelavam para assisti-lo, o Sr. Bedelho, o zelador barbudo e com as maiores sobrancelhas do mundo, ajudou-o com uma escada até o topo da redoma. Havia um buraco do tamanho exato da largura do braço de Teodoro, onde ele pôs, bem devagar, um pequeno grão de açúcar. Poucos minutos depois, todos assistiram a épica batalha das formigas para conquistar a posse daquele alimento encantado e doce.

Aquilo era lembrado pelos colegas e professores até hoje. Por isso, não era surpresa para ninguém quando Teodoro dizia, numa inesperada surpresa pregada pelos próprios devaneios mirabolantes, de que havia tido outra grande ideia. Carregava um misto de curiosidade e medo por tudo o que estava por vir, mas nunca ninguém se desapontava. Teodoro era um sucesso!

E, naquela tarde, quando enfim desceu de uma das árvores do seu quintal, a cabeça fervilhava como um caldeirão de bruxa, borbulhando e soltando fumaça colorida. Essa seria uma das ideias geniais, uma das mais brilhantes e que por fim acabaria com o sofrimento dos seus animais. Era isso que faria.

Teodoro caminhou apressado, dando saltinhos no ar, até um casebre feito de madeira, onde seu pai trabalhava e guardava tudo que fosse útil, tanto para a plantação quanto para as coisas triviais de casa e isso incluía um arsenal variado de produtos que, certamente, o auxiliaria na mistura que estava prestes a fazer.

Havia um "porém" na sua visita espevitada daquele dia. Augustos desaprovava com veemência a mera aproximação do garoto a aproximadamente um metro de distância do local, muito menos de vê-lo encarapitado nas suas prateleiras recheadas de frascos, poções, materiais para obra, marcenaria e garrafas de vidro velhas. Era um lugarzinho verdadeiramente mágico.

Dentro do casebre, a organização era considerada moderada porque quem entrava, entrava com o objetivo de mexer em tudo o que fosse possível. Numa das suas paredes, havia um vasto armário de prateleiras à mostra e separados numa caixinha, Augustos deixava dormir chaves de fenda, alicates, martelos e pregos de muitos tamanhos diferentes. Ele também organizava caixas de papelão, milimetricamente, uma do lado da outra, em ordem de tamanho. Elas guardavam desde sacos de ração para os animais, nas grandes, até sementes de pepinos, nas menores. Na parede erguida ao lado, outra organização deixava os miolos de Teodoro excitados de pura curiosidade.

De uma extremidade a outra, as prateleiras serviam de lugar seguro para uma enorme quantidade de tubos de ensaio, bacias, frascos de vidro, provetas e tudo o que um verdadeiro cientista fosse precisar para um experimento sensacional. Uns vazios, e outros preenchidos com líquido misterioso, de coloração duvidosa. Nunca soube para o que serviam, mas desta vez sentia-se preparado para descobrir.

Dentro do peito o coração palpitava forte, bem como o galope apressado de Filomeno no dia em que sumira de vista. De repente, um frio misterioso passeou por todo seu estômago, tomando velocidade até chegar às pontas dos seus cabelos encaracolados e ruivos. Era a sensação de empolgação e ao mesmo tempo de medo. Parou por um instante em frente a todos aqueles materiais do seu pai.

Augustos ficaria uma fera, certamente, mas o que estava prestes a realizar, talvez fosse sua salvação daquele embaraço, também. Não só os seus animais corriam um grande perigo, repetia para si como um mantra urgente na cabeça, mas ele mesmo e seus próprios pais adoeceriam gravemente. Imaginar acordar com um bico de pato, uma calda de leão, ou mesmo seu pai cacarejando no galinheiro de olhos arregalados e bico pontiagudo furando a terra em busca de um mísero grão de milho fazia suas pernas tremerem.

No meio do casebre, ficava uma enorme mesa a serviço de atividades variadas. Via o pai escrever, adubar terra para as pequenas hortas que ficavam nos peitoris das janelas de cada quarto da casa, consertar relógios quebrados, seu carrinho elétrico e agora seria sua vez de fazer alguma coisa que fosse realmente útil. Ela serviria com perfeição para a criação do seu remédio mágico, mas antes de se atirar ao serviço, ou mesmo para entrar no casebre, precisava sempre pular pela janela.

A chave da porta nunca foi encontrada por ele, ainda que movesse todas as suas artimanhas de detetive a fim de uma pista que o levasse a ela. Por sorte a tranca dessa janela havia mais de vinte anos que estava quebrada, quase que um convite improvisado do destino para que o casebre fosse sempre visitado por pessoas diferentes, incluindo ele mesmo.

Augustos usava um pedaço de pau para fechá-la, sempre que se despedia e parecia não se preocupar se realmente aquilo seria forte suficiente para que não fosse aberta. E não era. Bastava que Teodoro agitasse seu vidro embaçado que o pedaço de pau pulava fora da tranca quebrada e caía com um baque quase que inaudível no chão empoeirado.

Esse momento SEMPRE acontecia quando Augustos viajava até a cidade grande, ocupado o tempo necessário para que Teodoro explorasse os mistérios de cada uma das caixas ou prateleiras arranjadas, porque do contrário, infelizmente, nada conseguia. Um metro de distância dali era motivo para a voz de Augustos ribombar anunciando a proibição frustrante, sem que o homem ao menos pudesse colocar a cabeça para fora a fim de avistá-lo chegando.

Sempre ao entrar no casebre, fazendo o máximo de silêncio possível para também não chamar a atenção da mãe quase sempre mergulhada demais em seus livros, cada passo que dava levantava uma quantidade generosa de poeira no ar, espalhando pela sala, tomando seu brilho curioso ao atravessar a janela inundada de sol. Sentia o cheiro de tinta, de madeira molhada e não havia vez que não pudesse sentir. Aquele silêncio introdutório, no momento em que estudava a calmaria do casebre, lembrava-o dos dias dantes das provas no colégio. A sensação da incerteza, o medo do desconhecido, a ansiedade transformada numa insistente dorzinha na barriga. Apesar de todo nervosismo, Teodoro carregava consigo a capacidade inteligente de aproveitar a responsabilidade para fazer o seu melhor. E daquela vez não seria diferente, ainda que aquilo, num primeiro momento, fosse assustador.

Ele engoliu em seco voltando sua atenção para os objetos da prateleira, em busca do que fosse preciso. Uma panela grande seria essencial! Augustos também tinha guardado, dentre seus materiais, um fogareiro de duas bocas, com gás e tudo, pronto para quando fosse preciso ficar mais tempo trabalhando, pudesse cozinhar e comer algo bem rápido sem precisar incomodar Graça. Por outro lado, também serviria perfeitamente para preparar os elementos misturados na panela com a ajuda do fogo. Caso fosse indispensável o uso de algum tempero na poção, era certo que se abrisse algumas gavetas encontraria manjericão, salsa ou orégano desidratado.

Tudo naquele lugar era impecavelmente pensado para o momento. E antes que o medo o sobressaltasse de repente, sugando-lhe o desejo de realizar a receita do remédio, correu, então, até a prateleira onde as panelas eram guardadas. Puxou a que parecia ser maior, suja de poeira, porém perfeita. Arrastou sem muito barulho, só não esperando que fosse tão pesada. Por isso, sem notar o que podia vir, esqueceu de segurar numa das suas alças laterais, deixando a panela pousar desastrada sobre uma das bocas do fogareiro.

Teodoro segurou a respiração e fechou os olhos como se tivesse recebido um tapa na nuca. O estampido o paralisou durante uns segundos, como quem esperasse o estrondo de uma bronca, mas nada chegou e sua respiração pôde voltar ao normal. Acertou a panela bem no centro da boca do fogareiro e lembrou que já podia buscar os ingredientes... Os ingredientes.

Teodoro respirou fundo e ficou muito pensativo. Se houvesse lugar onde pudesse buscar os melhores ingredientes para o remédio, esse lugar seria a floresta. Todo medicamento é feito através das plantas que curam. A natureza era mágica e estaria disposta a lhe dar o que fosse necessário. Portanto, um punhado de mato ou qualquer que fosse a erva que encontrasse seria o primeiro elemento da mistura.

O outro teria de ser uma casca de árvore que abrigasse um ninho de pássaro. Dizia Graça, sua mãe, que era muito bom comer a casca das frutas porque era nelas que a maioria dos nutrientes ficavam e a casca das árvores não era muito diferente. Através de muitas delas, outras doenças eram curadas, até picada de cobra e dor de barriga.

E por que precisava que houvesse um ninho de passarinhos? Pensou que se houvesse o canto feliz deles, certamente essa felicidade passaria magicamente aos animais doentes. Onde há pássaros que cantam ainda resta um pouco de esperança e era o que Teodoro mais precisava para continuar seu trabalho importante.

Capítulo 4

Quando o menino olhou para fora, pela janela por onde entrou, viu as árvores perderem folhas secas ao vento. A grama balançava, como que o convidando a andar por ela. Do escuro fundo daquelas matas, o som dos pássaros percorria veloz até atingir seu coração apressado. Foi naquele momento que voltou a pular o quadrado de madeira com defeito e olhou para os lados por alguns segundos, certificando-se de que não havia ninguém por perto que pudesse denunciá-lo. Enquanto caminhada devagar, sentia o vento sibilar ao pé do seu ouvido, arrepiando seus pelos da nuca.

Sua mãe estendia alguns lençóis no varal quando o avistou ao longe, caminhando na ponta dos pés, com a pele vermelha de tanto que parecia prender a respiração. Graça não era uma ameaça, até porque não gostava de ver o marido enfurnado naquele casebre com cheiro de madeira molhada, todos os dias, inventando alguma coisa quase sempre necessária para absolutamente nada. Mesmo assim, fez força com os olhos para enxergar melhor e pôde perceber, para sua fúria, que faltava alguma coisa importante em Teodoro.

— Cadê seu chinelo, Teodorooo?! — gritou, aumentando a força do último "o" do nome dele.

Esperou que a resposta pudesse chegar e esta não veio. Teodoro andava tão concentrado que nem ao menos olhou para sua direção, mas Graça não tirou a atenção dele. Acompanhou o menino até que encontrasse o que parecia ser um balde (sua vista não era lá muito boa) e carregou-o para dentro da floresta. Já avisara antes que passear por ali não era permitido depois das cinco horas da tarde, então, assentiu a si mesma ao lembrar rapidamente que ainda eram duas e meia.

Com um baldinho amarelo de praia, Teodoro foi arrancando da terra tudo o que precisava, e ainda por cima descascara uma das árvores onde cantava um travesso e feliz tico-tico. Era uma tarde de sorte, sentia ele ao ouvir o som do pássaro que mais gostava. Tão bonitinho ele era, com aquele topete charmoso. Só por isso mesmo já era um sinal de que tudo caminhava como o planejado. E quanto mais colhia os pedaços do tronco, mais pássaros se aproximavam, cantando felizes, enchendo seus pulmõezinhos do tamanho de uma bola de gude, preenchendo outros galhos e formando uma orquestra de sons variados e perfeitos. Tamanha surpresa foi olhar para cima ao avistar aqueles animais como que o autorizando a fazer o que pretendia concretizar com aquela árvore. Eles estavam felizes, e Teodoro também.

Além disso, foi guiado pelo cheiro das ervas até diferentes tipos de plantas. Buscou folhas de árvores frutíferas, raízes e até um pouco de terra bem preta e úmida, porque vinha dela toda aquela abundância de vida e beleza. Eram ingredientes mágicos, essenciais para uma mistura poderosa. E por fim, olhando o baldinho amarelo, agora pesado, entendeu que a quantidade de elementos colhidos era o suficiente e por isso já podia voltar à sua panela, que o esperava pacientemente.

Para dar liga, primeiro encheu a panela com água e iniciou uma fervura emocionante. Sua altura não ajudava muito a ver o que acontecia lá dentro. Foi quando empurrou uma cadeira até o fogareiro de duas bocas e subiu nela com o coração arfando de satisfação e alegria. Seus olhos, naquele instante, brilharam feito bolas de gude ao sol. Assim que buscou uma colher de pau para mexer o fundo, sua barriga roncou de fome, porém em nada iria parecer com a comida de sua mãe e tinha certeza de que passaria longe do sabor. Remédio bom era remédio de sabor bem amargo. Ao menos, já sabia que não estaria ali para agradar o paladar de nenhum animal.

De pouco em pouco, foi atirando na água fervente o capim bem verde apanhado no mato e um por um, cada qual com a sua força, acrescentava seu odor e cor ao que antes era apenas transparente. Bolhas verdes subiam e estouravam emocionantes. Logo, logo, foi a vez das cascas da árvore onde os pássaros cantavam. Elas mergulharam no chá fazendo barulhos curiosos, levantando uma fumaça diferente. Não era boa, nem ruim, só lembrava o cheiro da floresta quando fazia frio. O vento sempre soprava, lá das suas profundezas, um perfume daqueles, despertando o interesse pelos mistérios, instigando seus sentidos. Teodoro estava completamente arrepiado e não parava de mexer por um segundo.

Queria ver mais cor, queria ver mais poder. Então, buscou na prateleira do pai três tubos de ensaio com líquidos de diferentes cores. Virou primeiro o de cor vermelha, depois entornou a roxa, até a última gota, e por último deixou a amarela cair na panela. Não sabia exatamente o que era aquilo, mas tinha uma cor bonita. Quando voltou a subir na cadeira para mexer um pouco mais, não encontrou nada de extraordinário na mistura. A cor estava opaca, o cheiro para lá de estranho, ainda que não houvesse nada queimando. Entretanto, buscou outros ingredientes no baldinho e encontrou o que poderia transformar aquela paisagem tenebrosa. Jogou algumas jabuticabas e mais algumas outras ervas colhidas no caminho para ferver e *BRUUUMM BUM!!*

Uma vibrante língua lilás de fumaça foi atirada para cima, expelindo um odor confuso de terra e sabão. Não sabendo ao certo, porém, Teodoro notou um brilho cintilante tomar o casebre, voando qual poeira para todos os lados. Finalmente, parecia chegar ao que tanto esperava. A mágica acontecia diante dos seus olhos. E não tão satisfeito, terminou de virar todos os outros ingredientes do baldinho amarelo dentro da panela de uma vez, engrossando repentinamente o caldo.

A mistura tomou não uma cor, somente, mas várias de uma vez. Era como um vitral de igreja misturado, compondo uma infinidade de cores hipnotizantes, cheias de vida. Quando voltou a mexer, precisou de um pouco mais de força nos braços. O cheiro também mudara e não era tão fácil adivinhar com o que parecia mais. Conforme o líquido grosso borbulhava, cada uma das bolhas eliminava ora perfume de milho, ora de palmilha velha de sapato. Não conseguiu entender o porquê, mas, em partes, aparentava uma poção poderosa e ao mesmo tempo repugnante.

Ora bolas! Aquilo era um remédio. Não precisava ser tão bonito, nem tão cheiroso e gostoso. A princípio, aquilo não seria um problema grave, não mesmo! A menos que todo animal retorcesse a cara e corresse desembestado de outra colherada necessária. Um remédio ruim era exatamente como pequenas doses de sofrimento que estamos destinados a experimentar na vida, em momentos diferentes. Por vezes, temos que sofrer o amargor delas para aprender a seguir em frente, sem precisar voltar a sofrer pelo mesmo desgosto. Uma pessoa feliz era aquela que, definitivamente, soube aproveitar alguns remédios ruins na vida.

Teodoro deu um pulo da cadeira, como que acordando de um sonho fugaz, e lembrou-se, enfim, de um ingrediente valoroso e talvez o mais potente já colocado naquela curiosa fórmula. Ele, então, desceu da cadeira não cabendo em si de felicidade, mas parou pensativo, franzindo os lábios. Não sabia onde ficaria o tal ingrediente, por isso empurrou algumas caixas, tirando-as da ordem de tamanho, ficou na ponta dos pés para alcançar a prateleira mais alta. Revirou gavetas, destampou pote atrás de pote e nada daquilo aparecer.

Diabo! Por que tinha deixado para o final, assim de improviso? Desejoso da rapidez de um beija-flor, o menino partiu janela afora com os cabelos arrepiados e o rosto pegando fogo. Atirou-se à cozinha de sua casa enquanto sua mãe preparava algo muito cheiroso.

— Mãe! — chamou, trazendo consigo outros odores curiosos. — Preciso de sementes de pepino para já, para ontem, para esse agorinha aqui!

E abria as gavetas de talher a esmo. Graça parou o que estava fazendo e virou-se para o filho limpando as mãos no seu avental azul de bolinhas.

— Você precisa é de um banho bem tomado. Sinta esse cheiro que está vindo de você, meu filho. — Pegou o braço de Teodoro e o levantou lá no alto para sentir melhor o fedor. — É um verdadeiro horror! Aliás, se o seu pai pegar você fazendo qualquer coisa naquele cas...

— Eu sei, mãããe! — disse o menino começando seu choramingo estratégico. — O papai não vai brigar, ele vai me agradecer. — E engoliu o choro para continuar a tarefa.

— O que você está aprontando, Teodoro? Não podemos resolver outros problemas além daqueles que já temos... E são muitos... MUITOS!

— Não é problema nenhum, mas a solução para um deles! — respondeu, convencido.

Graça duvidou, lançando a Teodoro um olhar semicerrado, daqueles de cortar a alma, como uma espada afiada. E então, aguardando outro momento ensaiado de choro, Graça entregou o que ele queria.

— E resolve logo essa bagunça porque o seu pai logo, logo estará de volta. Anda!

Aos pulos de alegria, o menino apertou as sementes entre os dedos e abraçou a mãe afetuosamente, recebendo um beijo na testa em troca. Assim, ao regressar para a panela com o coração arfando, outra voz lhe chamava do outro lado da porta. Não era mais a sua mãe implorando pelos chinelos.

Teodoro apagou o fogo, fazendo com que a fumaça diminuísse, jogou as sementes de pepino suadas na mistura e esperou que elas sumissem de vista, afundando uma após a outra. "Isso precisa dar certo", pensava intensamente. Ouviu um chiado vindo do fundo da panela como se cada uma daquelas sementes pudesse explodir feito pipoca. Mas antes que isso pudesse acontecer de verdade, o ronco da velha caminhonete anos setenta de Augustos abafou qualquer outro som, até mesmo o do seu próprio coração.

O homem estacionou bruscamente na porta do seu lugar preferido no mundo, proibido para crianças, proibido para animais e chamou mais uma vez por detrás da espessa cortina de poeira levantada pelas rodas do seu carro.

— TEODOROOOOO!

Sim, era o seu pai e ele já sabia de tudo.

Capítulo 5

Segundos depois do baque ensurdecedor da porta da caminhonete se fechando, Augustos abriu o casebre e entrou com tudo, sol e poeira. O rosto contorcido já denunciava seu desgosto. Ele mesmo imaginava ver a pior bagunça da vida. "Está tudo destruído", pensou antes que a poeira se dissipasse e mostrasse a verdade.

Teodoro, em silêncio, aprendeu a sorrir diante de situações embaraçosas e a aguardar para ver de que forma poderia começar a se defender. De qualquer maneira, tratava-se do seu pai e ainda que fosse proibido estar ali, sabia que ele seria incapaz de brigar quando por fim olhasse o seu maravilhoso remédio mágico. Mas, por via das dúvidas, mostrava exageradamente seus dentes, num sorrio cheio de carisma para ele, conseguindo desviar seu olhar fiscalizador da bagunça que havia feito em suas caixas. O melhor de tudo já estava feito, por isso nada mais poderia sair dos seus planos... Assim esperava.

Augustos manteve a cara de quem comeu e não gostou nada, nada. Além do mais, sentia o cheiro mais estranho de todos entrar pelo nariz como uma bomba, explodindo os neurônios, arrepiando os fios da cabeça e eletrocutando seus sentidos. A fumaça da poção ainda bailava pelo ar, brincando de formas variadas, saindo sem pressa pela janela e entrando em todos os buracos que encontrasse pela frente.

Milho, sabão e terra faziam parte daquela mistura, com certeza. E ainda pensava que o cheiro ruim era dos porcos cheios de preguiça pela manhã, hora essa na qual adoravam levantar chafurdados de lama. Augustos farejou mais um pouco, muito a contragosto, porém fez isso para entender de onde aquilo partia. Encontrou a panela e Teodoro bem ao lado, com aquele seu sorriso incriminador.

— Que cheiro horroroso! — exclamou seu pai ao se aproximar da mistura. Rápido, tapou o nariz com a ponta dos dedos. — Isso deve ter grudado no fundo da panela igual pipoca queimada, com certeza. Só por um milagre vai sair.

Quando seus olhos pararam para ver atenciosamente aquela poção, Augustos ficou hipnotizado. O colorido borbulhante fez com que a carranca desaparecesse num instante e espantado se perguntou de onde aquilo havia surgido. Não se lembrava de ter comprado nada parecido, nem mesmo ter feito alguma vez. Estava quente, muito quente e o cheiro exótico vinha dela.

— Esse cheiro de milho... — reclamou Augustos apertando mais ainda o nariz. — O que aconteceu aqui, Teodoro? Eu não disse que esse casebre era proibido par...

— Mas, paaaaai! — choramingou adiantando-se. — Eu precisava muito entrar.

— E como você achou isso aqui? — indagou ao filho, apontando seu dedo para a poção multicolorida borbulhante, mas voltando rapidamente a usá-lo para tapar o próprio nariz. — Você estava mexendo com todas essas coisas, sozinho?

— Só mexi um pouquinho — explicou Teodoro um tanto sem graça. — E acredito, papai, que esse seja o remédio mais maravilhoso do mundo para curar de vez os nossos animais.

Ele preferia apresentar seus trabalhos na escola a ter que fazer aquilo na frente de Augustos.

— Um remédio para curar os animais? — Duvidou coçando a cabeça. — Um remédio fedido assim? — E parou em silêncio por uns minutos. O cheiro de milho, terra e sabão parecia mais fraco agora. — E o que tem exatamente na sua fórmula?

A poção ainda borbulhava como se ela ainda estivesse sob o fogo. Movia-se lentamente numa espiral mágica e hipnotizante, como que por mãos invisíveis. Lembrava a cor do óleo diesel na pista em dia chuvoso ou mesmo uma miscelânea de arco-íris, expelindo um gás lilás de brilho cintilante. Não parecia com absolutamente nada do que Augustos pudesse comprar no mercado, feira ou armazém. Era inédito e tinha sido feito em seu casebre. Teodoro começou a contar todo o segredo da receita:

— Fui até a mata e procurei por algumas ervas boas para a cabeça e a barriga. Mamãe sempre diz que são boas até para além disso e por isso são mágicas.

— E precisa cheirar assim? — reclamou outra vez na vã tentativa de afastar o odor de perto do nariz. — Apesar disso... estou quase na certeza de que podemos realizar grandes feitos se isso funcionar, é claro. Além das ervas, o que mais levou?

— Semente de pepino e a casca de uma árvore onde os pássaros possam cantar.

— Casca de árvore? — Augustos inclinou-se ainda mais diante da panela, arregalando os olhos para entender onde estavam os ingredientes enumerados pelo garoto.

— Já foram dissolvidas, papai — respondeu Teodoro quando mais uma vez subiu na cadeira para mexer ele mesmo a poção.

Augustos lutava contra a sua própria sanidade mental para compreender como seu filho havia chegado a tal resultado. Certamente, era loucura imaginar uma espécie de remédio contra todo aquele mal. Já havia pensado em inúmeras soluções e todas elas sem resultados satisfatórios que produzissem efeitos curativos de verdade. As ervas, as cascas de uma árvore e o que fosse o ingrediente com cheiro de milho pareciam boas ideias para a cura dos animais. A claridade se fez na sua cabeça, como produzida por uma chama ardente que subia intensa. Era a esperança surgindo outra vez.

— Teodoro, meu filho — disse ele, enfim sorrindo. — Vamos usar os meus tubos de ensaio para armazenar esse remédio mágico para cada um dos animais.

— Isso! Vamos nos dividir, papai. Assim não perdemos tanto tempo. A dose precisa ser igual para todos.

— Mas é claro que não! — alertou Augustos. — Um cavalo não pode tomar a mesma dose de remédio que um cachorro. Para os maiores, vamos usar a medida de dois tubos de ensaio e colocá-los naquele recipiente... Ué, onde estão minhas soluções para fazer detergente? Elas estavam ali.

Apontou para o lugar na estante onde havia deixado todas elas descansando. Apavorou-se quando, depois de todos aqueles minutos, seus olhos correram finalmente pela sala com mais atenção. Suas gavetas abertas, suas caixas fora do lugar, suas panelas bagunçadas. Era a visão do verdadeiro caos.

Teodoro sabia muito bem onde havia parado todas aquelas soluções de detergente agora. O cheiro deles perfumava todo o casebre e o de milho ainda mais.

Capítulo 6

Abílio Abelho jantava às oito horas em ponto e ainda que a barriga se espremesse ao máximo sobre sua calça (agora) desabotoada, ele continuava colocando frango frito goela abaixo, sujando seus dedos grossos de gordura e os limpando em demorados chupões e estalos com a boca, sentindo enorme a satisfação em provar todos aqueles sabores. A barba preta, por onde escorria boa parte daquela gordura, brilhava como se houvesse passado gel e a sua mulher, Nadir Cadinada, do outro lado da mesa, a quase dois metros de distância, sorria satisfeita ao ver a cena. Ela quem preparara o frango dez minutos antes de levar à mesa. Precisava estar bem fresco ou Abílio não comia.

— Coma! Coma bem, meu azedume insuportável. Por você, posso matar mil frangos como esse. — E mordeu o do seu prato, destrinchando uma coxa inteira com dentes de fera, deixando somente o osso, depois de chupá-lo o bastante para que ficasse limpinho.

E riram deles mesmos, com as bocas sujas e cheias arroz, batatas e mais frango. A essa altura da noite, do lado de fora da casa, era tudo silêncio. A lua brilhava intensamente no céu e o vento trazia nuvens velozes. Nada que pudesse atrapalhar o majestoso satélite natural da Terra. Porém, o vento trazia também odores diferentes e peculiares. O cheiro de milho da curiosa poção mágica de Teodoro continuou percorrendo grandes distâncias pela fazenda.

Com todos os sentidos em perfeito funcionamento naquele momento de comilança, Abílio e Nadir começaram a farejar o que o vento trazia. Largaram seus pedaços de frango na mesa e arregalaram os olhos, surpresos. Levantaram-se da cadeira no mesmo segundo, como se houvessem sentado numa agulha.

"O que será isso?!", pensaram juntos, num transe coletivo. Só acordaram quando se deram conta de que um olhava para o outro e de tão feios que eram, tomaram um susto. Sacudiram bem a cabeça, mas não deixaram de continuar farejando o ar.

— Que cheiro estranho de milho — comentou Abílio sussurrando.

— É de milho — sussurrou Nadir do outro lado, esquecendo o garfo espetado numa outra coxa de frango frito. — O que será que Augustos cara de pepino está aprontando com o banguelinha feioso do seu filho?

Como de costume, o nariz de Abílio sempre chegava antes dele mesmo, em qualquer situação curiosa. Fazia tantas suposições, imaginava e afirmava tantas coisas ao mesmo tempo em que seus miolos chegavam ao ponto de curto-circuito. E gostava de fazer isso porque a fofoca era o seu ponto fraco e não havia nada mais gostoso para ele do que levantar calúnias com a justificativa de fazer alguma coisa contra o caluniado.

Normalmente, eram pessoas boas e que jamais seriam capazes de fazer tudo aquilo que um dia Abílio pudesse inventar. Não só ele se divertia, mas Nadir ficava horas só escutando o terrível marido, incentivando-o e acrescentando detalhes criativos para fortalecer as mentiras. Era um casal horrível e por mais que eu esteja escrevendo isso deles, certamente tomariam o "horrível" como elogio honroso.

Abílio, o abelhudo de primeira, andou a passos pesados até a porta de sua casa e a abriu sentindo o cheiro se aproximar cada vez mais forte junto ao vento que soprava. Sua mulher apareceu logo atrás, sorrindo feito uma hiena, com fiapos de carne pelos dentes. E antes de buscar um palito que fosse para limpá-los, surgiu abruptamente uma das suas suposições para todo o fedor em sua mente. Aquilo só podia significar uma ideia repugnante dos seus vizinhos. Certamente estavam plantando milhos, além dos pepinos nojentos e mais do que nunca pareciam ter feito algo muito inteligente para prejudicá-los. Sim, prejudicá-los! Milho é muito gostoso. Com manteiga, quentinho, quem não quer? Se não for puro, uma bela fatia de um belíssimo bolo feito com o ingrediente serve. Ou mesmo uma pamonha cremosa com coco, que belezura.

— Eles estão plantando...

— Milho?! — indagou Abílio como que para si mesmo, olhando a plantação de Augustos, esticando o pescoço o mais que podia. — Sua biruta ingênua. Eles não conseguem. E, além do mais, se conseguirem, é capaz de ganharem muito mais dinheiro do que nós. Isso é um absurdo. É *quase* impossível — terminou o homem, no topo de sua vaidade infinita, batendo o pé no assoalho de madeira.

Quanto mais vaidoso mais empinado o nariz ficava, e seu nariz já estava enorme o suficiente para catar mangas direto das árvores. O ar não parava de assoprar, dando-lhes cada vez mais certeza daquelas ideias ardilosas, cheias de mentira.

— Milho... sim. Eles estão plantando debaixo de nosso nariz.

— E não é só isso — interrompeu Nadir olhando o céu como se fosse avistar alguma pista simplesmente no ar. — Estão fazendo sabão também. Sabão de milho, será?

— Claro que não! Alguém vai querer cheirar a milho depois do banho?

— Se for dar muito dinheiro vai ser como tomar banho de ouro, igual às artistas de cinema, seu piolho pançudo.

— Já é tarde — disse Abílio coçando a cabeça, ainda pensativo. — E está escuro para que ninguém nos veja perambulando por aí. — Ele começou uma gargalhada baixinha, aumentada repentinamente pela mulher. Previa um plano diabólico nascendo. — Vamos procurar por toda fazenda asquerosa de Augustos alguma pista ou mesmo a certeza de que eles estão aprontando alguma para nós. Não precisa levar lanternas, ou eles nos enxergarão.

— Já estou adorando isso. Vou destruir tudo o que for parecido com uma espiga de milho, inclusive o filho deles! HÁ! HÁ! HÁ!

E não demoraram mais. Nadir fechou a porta atrás de si e seguiu Abílio até as cercas que dividiam as fazendas. Do outro lado, mais próximo deles, estava a plantação de pepinos e mais adiante um enorme quintal, onde de um lado estava a casa e do outro o casebre de Augustos. O breu da floresta abraçava boa parte deste quintal, não fosse por uma tímida luz acessa na pequena varanda na qual Teodoro adorava ficar sentado lendo suas histórias durante o dia. O casebre do seu pai era um lugar destacado em meio a todo o espaço, mas permanecia quieto e enegrecido pela noite, embora naquele momento ela estivesse estrelada.

Separados, os dois não possuíam escrúpulo algum. Juntos eram o demônio. Abílio encurvou-se feito um velhote, assim como Nadir fez. Enquanto andavam a passos largos e silenciosos, acompanhavam com os olhos bem abertos a aproximação da casa dos vizinhos odiosos.

Uma tímida luz escapava pela janela protegida pela cortina vermelha do lado de dentro, fazendo sombras para quem via do outro lado. O estômago de Abílio revirou ao ouvir as vozes de Augustos, e risos infantis vindos daquela criança estranha, o tal do Teodoro.

Nadir, feito um caranguejo, andando de lado, não piscou os olhos, mas passou prendendo a respiração, assustada com as sombras projetadas, cheias de vida e movimento. De repente, uma mão fez menção de abrir a cortina. Era Graça, porém antes que Nadir mergulhasse desesperada na grama à procura de qualquer arbusto que a escondesse, a mão branca do lado de dentro da casa fechou o que ainda sobrava de luz. Abílio engoliu em seco e puxou sua mulher pelo pulso. Andaram aos tropeços, tentando imitar o silêncio profundo da noite até que por fim avistaram o casebre de onde o cheiro de milho surgia.

— Só pode estar lá dentro, Nadir! — sussurrou Abílio arrepiado, avistando com atenção plena uma luz multicolorida da qual parecia um líquido viscoso se esparramando por debaixo da porta.

A pequena janela com defeito, da casinha de madeira, parecia pintada com aquela luz hipnotizante. O casal horrendo aproximou-se dela e, devagar, como que pudessem ser surpreendidos a qualquer momento por alguém inesperado, olharam pela janela encontrando o que irradiava o arco-íris. E com grande surpresa, avistaram os diferentes tubos de ensaio e frascos que serviam para aprisionar aquelas cores inquietas. Era uma poção, um líquido mágico.

— É lindo!

— Estonteante!

— É exuberante!

— Claro que é exuberante, seu tonto — sussurrou Nadir, irritada e encantada ao mesmo tempo, dando-lhe um tapa certeiro na nuca. O homem acordou da hipnose e tornou a pensar melhor sobre o que acabava de ver. Coçando o pescoço, voltou-se para ela.

— Nadir, isso me parece valioso demais para estar aqui. — Seus dedos de salsicha comprimiram o vidro da janela. — Com certeza, isso custa milhões de reais.

— Será algum creme para rugas? — Imaginou a mulher, esticando a própria pele do rosto. — Ou gel para crescer cabelo?

— Pode ser um elixir contra pragas, de morte instantânea, um pesticida horrivelmente notável contra qualquer larva...

— Um embelezador de pepinos... — Tentou Nadir mais uma vez. — Ou melhor, com essa catinga de milho só pode ser embelezador de milho, mesmo! — E tapou o nariz, agora que o cheiro parecia envolvê-los numa bolha.

— Jamais saberemos se não pegarmos um pouquinho — disse Abílio, com seu sorriso diabólico de orelha a orelha. — Roubar um pouquinho disso não vai fazer falta. Olha quantos frascos tem ali!

A enorme unha de Nadir encaixou perfeitamente na fresta entre o vidro e a madeira da janela. As luzes traziam a nitidez perfeita para que ela pudesse fazer aquilo com toda a calma do mundo. Ela estudou outra maneira de poder entrar, analisando com atenção o defeito que a janela apresentava e agiu com menos esforço através dele. Mas, antes mesmo de mover a madeirinha que sustentava a fechadura, um barulho os alertou. Não vinha de fora, mas de dentro daquele galpão multicolorido. Algo se moveu nas sombras. Nadir e Abílio encostaram seus rostos contra o vidro para acompanhar o rastro do que quer que fosse aquilo. Logo notaram que suas pernas tremiam feito o capim das serras porque o que conseguiam ver não era nada parecido com um rato, nem com nenhum outro animal.

A escuridão entre as caixas de papelão tornou-se obstáculo para uma perfeita noção do tamanho da criatura, mas inacreditavelmente assistiram com olhos bem abertos um dos vidrinhos de poção ser suspenso alguns centímetros do chão e ganhar velocidade, desaparecendo de vista pela sala. Nadir deu um salto e tapou a boca, horrorizada.

Outro barulho estranho ecoou pelo casebre e antes que mais um frasco de poção desaparecesse de vista, o casal mais horrível do planeta correu como nunca fez em suas vidas. Tropeçaram um no outro, e quando um parecia correr mais rápido, o outro puxava a gola do blusa desse para que pudessem continuar correndo juntos.

Abílio choramingava, Nadir gemia feito uma criança mimada. Aquilo era pior do que mil ratos juntos! Era o fantasma-ladrão dos seus piores pesadelos!

Capítulo 7

Na manhã seguinte, Teodoro mal escovou seus dentes e já corria para encontrar seu pai dentro do velho casebre. Durante o rápido trajeto, ainda era possível sentir o frio da madrugada se dissipando e o vento gelado soprando no seu pescoço. Aquilo fez com que o corpo do menino se estremecesse por inteiro, mas o que mais arrepiava mesmo era a possibilidade incrível de que sua ideia fosse dar muito certo. A empolgação dada pela tarefa bem feita não poderia ser diferente e agora, finalmente, se livrariam de um grande problema.

Encontrou Augustos separando mais tubos de ensaio para guardar o restinho de poção ainda do fundo da panela, dividindo cuidadosamente para cada animal da fazenda. Ao que era maior, uma dose dupla e por isso mesmo o frasco era muito maior. Aos pequenos e mirrados, uma dose equivalente ao tamanho e peso. E assim, munidos da quantidade certa, conseguiam calcular uma poção adequada a todos os doentes e endoidados.

— Ontem parecia ter mais tubos por aqui. — Estranhava Augustos coçando a cabeça e contando cada vidrinho, um por um, pela quarta vez só naquela manhã. Da prateleira da direita para a esquerda foi colocado, no intervalo entre um grande e um pequeno, um que não era nem grande e nem pequeno, e parecia ter sumido. Parecia porque seria impossível que isso tivesse acontecido de um dia para o outro e dentro de um local trancado todas as noites. — Você mudou algum desses frascos de lugar, meu filho?

— Não me lembro bem, pai. Talvez seja os que não estavam cheios. O senhor os guardou para terminar de encher logo depois — disse Teodoro na dúvida.

— Ou eles já estão cheios e eu não notei — admitiu Augustos ainda confuso.

— Bom, ao menos, acho que temos a quantidade certa de remédio para curar os cachorros, os cavalos e uma porção de porcos, só hoje.

— Vamos devagar! — alertou o homem levantando do seu agachamento e botando as mãos nos quadris. — Hoje medicaremos os porcos e os cavalos por serem eles os animais mais fortes da fazenda. Vamos esperar para ver se eles ficarão curados. Só assim podemos continuar.

— Tudo vai ficar bem, papai — disse Teodoro dando tapinhas no seu ombro ao perceber a voz de Augustos embargar e seus olhos fitarem o chão. — Eles ficarão bonzinhos, tão bons quanto sorvete e melão, pode apostar.

Então, sua barriga foi invadida por uma lufada de vento frio, como aquele que escorreu por sua nuca mais cedo, arrepiando o topo da cabeça e fazendo suas pernas tremerem. Lutou fortemente contra essas sensações, lembrando-se da esperança como sendo a última guerreira a cair desfalecida no campo de qualquer batalha.

— Bom! — Augustos respirou fundo tomando novo ânimo. — Vamos pegar esses tubinhos aqui. Leve esse e esses daqui. Não, o maior também. E vamos antes que qualquer porco dê ovos de pato ou que os cavalos comecem a falar asneiras ao invés de relinchar. Deus nos ajude!

— Pai, será que isso não é coisa de Saci?

— Não sei, meu filho. Só sei que esses diabinhos são terríveis e podem fazer de tudo. Só o tempo nos trará a verdade.

Mas, antes de saírem porta afora e de Teodoro arrumar todos os frascos em cada um dos seus bolsos, um grito estridente rasgou o ar tranquilo daquela manhã e arrepiou todos os pelinhos da nuca de Augustos. Era a voz de Graça e, por isso, o menino acelerou a arrumação dos tubos de ensaio em cada um dos bolsos dispostos em suas vestes até não restar nenhum. Rapidamente outro grito arrastado os sobressaltou, anunciando a possibilidade de uma desgraça ainda maior. Augustos pegou tudo o que conseguia tremendo feito vara verde, enfiou alguns vidrinhos na sua bolsa atravessada no peito e saiu em disparada para ver o que era junto com seu filho.

— Graça, meu doce de pepino! — gritava Augustos com a voz embargada. — Já estamos chegando.

Os gritos vinham dos fundos do quintal e por isso deram a volta na casa.

— O que está acontecendo? — perguntou Teodoro pondo as duas mãos na cabeça ao avistar sua mãe e o que acontecia de mais estranho até aqui, meu caro leitor.

— Mas isso é impossível! — gritou Augustos olhando atentamente para cima, pálido de horror. — Que coisa mais terrível. Não sabia que estavam tão doentinhos, meu Santo Pepídio!

— E estão, meu querido. O que vamos fazer? — indagou Graça choramingando, assoando o nariz no pano de prato repousado no próprio ombro.

Tinha razão suficiente para Augustos e Teodoro estarem de bocas bem abertas, olhos petrificados e cabeças viradas em direção ao céu, aterrorizados com a cena que se apresentava. Todos os porcos do chiqueiro dos fundos, além de estarem com seus rabinhos bem lisos, não paravam mais de inflar feito balões de aniversário, ganhando altura, sumindo entre as nuvens. O focinho deles, em formato de tomada, agora ganhava outras proporções. Ao invés de se projetar para fora, esticava para os lados conforme engordava. Seus olhos amendoados e pretos como a noite pareciam aumentar de tamanho. Era como desenhar numa bexiga e encher depois.

A figura crescia disforme e horrível. Apesar de suas pernas curtas, ainda era possível vê-las por inteiro, de modo que as patas fossem notadas bem esticadas. Mas não duravam muito assim porque logo eram engolidas pela barriga do animal que enchia, enchia e ia enchendo cada vez mais na mesma medida em que ganhavam altura no céu.

— Olha, Augustos, o Bentinho virou um balão. O vento vai levá-lo para a floresta e só Deus sabe o que será dele por lá! — Continuou Graça chorando, sem saber o que fazer. Lá do alto, a lama das suas patinhas pingava no já saudoso e doce chiqueiro.

— Mamãe, mamãe! — gritou Teodoro de repente. — Tive uma boa ideia!

Num impulso de grande coragem, o menino com a cabeça fervilhando de ideias e nervosismo correu até o cercado, de onde os balões de porco saíam aos montes e deu um salto bem alto e com força em direção a uma daquelas aeronaves suínas. Graças à sorte de uma de suas mãos, ele apanhou habilmente a pata de um deles, mas apesar de esperarem que Teodoro descesse, por conta do peso, Graça deu um berro e Augustos tapou a própria boca ao ver o menino voar pelos ares, junto ao enorme porco inflado quase capturado.

— AUGUSTOS, SALVE-O! SALVE-O! FAÇA ALGUMA COISA! O TEODORO VAI PERDER A CABEÇA! — gritava a mulher, correndo até o marido, acordando-o do estado de espanto em que se encontrava.

Seu rosto pálido estremeceu ao ouvir ainda mais alto a voz de Graça ecoar por toda sua cabeça. Mesmo desperto para a realidade, não conseguiu agir sem antes se esforçar ao máximo para pensar em algum plano de resgate.

Assistiram Teodoro se equilibrando como uma minhoca no anzol do pescador, prestes a ser jogado no mar a qualquer momento para servir de alimento aos peixes. O menino, longe de querer aproveitar a vista lindíssima que despontava no horizonte conforme tomava mais altura, procurava desesperadamente acertar a mão no bolso onde guardava a dose certa para aquele porco-balão que lhe dava a carona mais estranha de sua vida.

A criatura continuava inchando e inchando ao ponto de suas orelhas se transformarem em apenas dois pontinhos em sua cabeça e o seu rabinho sumir de vista e o focinho se transformar em bolotas bem redondas, assim como seus olhos pretos. Da sua boca, o porco soltava um chiado baixo, talvez na tentativa de gritar por socorro, ao contrário de Teodoro. Seu medo se intensificou drasticamente ao reparar que o vento o levava rapidamente em direção à floresta e a altura aumentava cada vez mais, deixando-o mudo de pavor.

Em hipótese alguma conseguia mais soltar o animal, a não ser que ele quisesse se transformar num patê de menino.

Teodoro esqueceu a tentativa de buscar o remédio mágico no seu bolso e apertou com as duas mãos o restante da perninha do seu porco. Balançou bastante quando outra lufada forte de vento o atingiu e suas pernas roçaram assustadoramente na copa das árvores da floresta que infelizmente haviam chegado.

Lá embaixo, quem estivesse diante de uma daquelas árvores certamente tomaria um enorme susto devido ao seu tamanho. Eram enormes, tão grandes a ponto de as nuvens impedirem que seu topo fosse visto muitas vezes. Seu coração se agitava no peito. A cada olhada desesperada para baixo, a altura aumentava.

Naquele momento, não lembrou nada das orientações ouvidas a vida inteira sobre não olhar para baixo quando estivesse num lugar muito alto. Aquela sensação certamente ocorreria, mas não era capaz de raciocinar como de costume, muito mais difícil era fazer quando estava agarrado a um porco inflado e suas mãos começavam a suar inesperadamente.

Quando dos seus pensamentos irromperam as sensações mais tenebrosas de pavor, em que acreditou na iminente queda, sua outra mão conseguiu achar o tubinho de ensaio com a fórmula mágica capaz de mudar aquela cena. Teodoro tirou a rolha do vidrinho com os dedos trêmulos de nervoso e, usando toda a força que ainda lhe restava, esticou o braço o mais alto que podia para acertar a boca do porco em cheio. Mas errou o alvo importante.

— Teodoro! — A voz parecia lhe seguir, vindo logo atrás dele. Era Augustos pegando carona em outro pobre porco inflado. Esse, por sua vez, era imenso e cheio de gás.

Conforme ia subindo, ele soltava alguns punzinhos, o que o ajudava e muito a ganhar velocidade pelo ar. — NÃO SOLTE O PORCO, MEU FILHO! Tente pegar esse tubinho aqui em minhas mãos...

— NÃO VOU CONSEGUIR, PAPAI! — gritou Teodoro muito cansado, puxando com força o ar que aguentava.

Quanto mais voavam e o tempo passava, mais inchados os porcos ficavam e isso significava também que havia menos perna para Teodoro e Augustos se agarrarem.

— Você consegue, meu filho! Não desista! — insistia seu pai, estendendo a mão com o remédio em sua direção. — Vamos... não... desista... de curar... os... animais!

A lufada de vento soprou, tudo balançou. Augustos sacudiu suas pernas compridas para frente fazendo com que seu balão de porco ganhasse ainda mais velocidade e dessa maneira alcançasse seu filho. Naquela única tentativa, de cara para a morte, Augustos ultrapassou Teodoro inesperadamente e como num voo de aeronaves da Esquadrilha da Fumaça, o porco cheio de gás deixou seu rastro no céu e um perfume nada agradável também.

Outro poderoso golpe de vento o levou outra vez mais perto de Teodoro e foi nesse momento que seu braço se esticou e o remédio todinho foi parar goela abaixo no pobre porco. Augustos acertou na mosca!

— Uhuuu! Eu consegui! Teodoro, meu filho, eu consegui. Ele bebeu tudinho, igual leite de mamadeira.

— Pai, você é DEZ! Você é...

Não demorou muito, a criatura se estremeceu por inteira e como que parada por um clique, ela soltou um terrível, um fedorento, um tenebroso e alto arroto, lançando no ar uma espessa nuvem colorida da boca, das orelhas e do seu nariz. De pouco em pouco, Teodoro foi descendo e descendo. E como os braços de Augustos eram muito maiores do que os do seu filho, ele conseguiu, suando e tremendo, abrir outro vidro de remédio para o seu balão.

Por sorte, o animal sacolejou também e soltou um indecente, vergonhoso e amedrontador arroto colorido, pior que o anterior. E feito uma bexiga perdendo o ar, os porcos foram diminuindo devagar, alcançando a copa das árvores e mais um pouco depois o solo atapetado de folhas verdes da floresta.

Capítulo 8

— Papai, papai! — chamava o menino bastante alarmado, segurando o porco desinchado agora debaixo do seu braço. — Pai, conseguimos! Eu disse que faríamos dar certo.

Ele acenava para o pai que acabava de fazer um pouso tranquilo ao mesmo tempo em que tomava o cuidado de não deixar o pobre animal recém-curado se machucar. Quando por fim se deram conta de que estavam vivos, os dois se abraçaram num aperto quase infinito enquanto dos olhos de Augustos uma fina lágrima escorria.

— Meu filho! — sussurrou ele. — Por sorte não caímos. Sua mãe deve estar louca de nervosa. Estávamos muito, muito alto com esses dois... — E certificou-se de que ninguém estava com ferimentos. — Bentinho, pobre Josefina, inchados feito um balão e agora saudáveis graças a essa fórmula mágica!

— Quantos frascos de remédio ainda sobraram, papai? — indagou Teodoro contando oito dentro dos seus bolsos.

— Três, seis... Tenho nove ao todo. Acredito que ainda dê para todo o restante dos porcos e para os cavalos.

Durante essa conversa, a porca de Augustos foi tomando sua forma comum e se revelou um animal muito mais pesado do que imaginava. Era uma fêmea das grandes. O de Teodoro permaneceu pequeno e muito calmo.

— Pai, como faremos para carregar esse porco enorme?

— Tecnicamente, é uma porca e está amamentando. Veja o tamanho dos peitos. — E Teodoro se encurvou para observar. — Esse que está com você é um leitãozinho, um filhote. Você o soltará e ele sozinho nos seguirá, por causa dela. Essa grandona parece bem cansada e vai precisar da nossa ajuda — dizia Augustos acariciando seu focinho de tomada. — Pode soltar esse rapazinho.

Teodoro fez o que seu pai pedia e viu o leitão se espreguiçar e tomar velocidade aos saltos e rodopios, feliz da vida, até a porca. Sua felicidade não era por estar livre daquela doença estranha, pois mal sabia o que estava acontecendo, mas de poder finalmente voltar a encontrar sua família e se alimentar. Depressa, encontrou a teta da mamãe porca e tirou o proveito unicamente destinado a ele, naquele momento delicioso.

— Vamos voltar antes que aconteça de sua mãe pegar outro balão-porco e vir atrás da gente. — E se adiantaram floresta afora.

As árvores dançavam ao sibilar do vento, completando em harmonia a orquestra dos pássaros, galhos estalando e o choro esfomeado daquele porquinho bebê. Augustos achou que não seria uma boa ideia deixá-lo cansar a mamãe e, por isso, para que não demorassem ainda mais, suspendeu a porca com força (bastante força) e a levou bufando feito um boi raivoso nas costas.

Não tinha outro jeito de chegar mais rápido até a orla da floresta, a não ser daquela maneira. Teodoro ainda tentou ajudar, mas parou assim que percebeu que em nada adiantava o seu esforço. Atrapalhava muito mais. Continuou observando o leitãozinho para não o perder de vista e por vinte minutos (intermináveis) da cansativa caminhada, os dois, mais a porca mãe e o porco filho apareciam ao longe para o alívio de Graça.

Ela acenava, dando pulinhos, mas não parecia muito feliz. Aproveitava a aparição deles e apontava insistentemente para o poço. Ao se aproximarem mais da cena, o rosto de Graça era o de pura desgraça.

— Oh, céus! O que aconteceu dessa vez? — lamentou Teodoro ajudando o pai a largar o animal pesado quando enfim chegaram.

E então, a mulher falou, apressada:

— Tem um pato verde *neon* nadando no poço!

— Vamos tentar pescá-lo, então — disse o menino se adiantando com um balde avistado.

— Como é que ele ficou dessa cor? — perguntou Augustos se aproximando mais e olhando o que tinha lá embaixo. De fato, era um pato, mas...

— Ué? Onde está o pato verde *neon*? — Espantou-se quando viu o animal de outra cor. — Agora ele está rosa-choque!

— Estou ficando maluca da cabeça ou tem alguma coisa de muito errado com esse pato também?

— Mas, mamãe... — interrompeu Teodoro. — Ele está doente e precisa de remédio. E eu mesmo fiz. Aqui, ó! — Ele retirou um dos frascos da fórmula mágica de dentro da roupa e mostrou contente para sua mãe. — As sementes de pepino eram para a receita. Achei que poderia dar errado, mas olha como esses porcos ficaram!

— Desinchados! — disse Graça toda sem graça, tremendo surpresa com o vidrinho multicolorido na mão, observando com atenção o líquido curioso se movendo sozinho dentro dele. — Você fez isso!

Não foi uma pergunta. Graça estava pensando na graciosidade da ideia de seu filho quando o pato dentro do poço grasnou e em seguida soltou um som parecido com algo mais ou menos assim: BLUNG! PUIIIIIN!

Voltaram todos a olhar o que acontecia com ele, espremendo-se uns aos outros para melhor enxergar quando o chão começou a tremer e o mundo parecia desabar. Teodoro abriu a boca, Graça ficou tonta e por pouco não desmaiou. Augustos deu um berro alto e dali viu o coitado do pato, agora vermelho sangue, ganhar um pescoço cada vez mais comprido e comprido. Feito uma vara de pescar, esticou-se até dar de cara com o nariz do homem.

— Valei-me, meu Santo Pepídio! — rogou Augustos fazendo o sinal da cruz. — Como vamos tirar esse bicho de dentro desse poço, agora?

Graça calculou mentalmente a possibilidade de fazer isso sem machucá-lo. Era tão grande que o vento batia e ele precisava equilibrar tudo para não quebrar. Mas não ficou muito tempo assim não. Outro estranho grasnar do pato o fez arrotar uma nuvem de brilho lilás e dessa maneira seu bico tomou uma nova forma.

— Minha Santa Clara dos Pepinos Frescos, olha o tamanho desse bico!

O pato (agora laranja) tinha um longo pescoço e um bico gigante.

— Vamos medicá-lo, depressa! — disse Augustos abrindo o frasco da mão de Graça, porém, era tarde demais.

O pescoço do animal se esticou, esticou e eeeestiiiicooou para bem acima das nuvens. Chegou quando sua cor já era outra, mais uma vez. Estava totalmente azul.

— Complicou de vez! — desabafou a mulher, colocando as mãos na cabeça.

Ouviam o pato grasnar lá de cima. Talvez pelo horror de não poder ver mais o próprio corpo ou por notar que os seus sintomas eram muito mais graves do que os que acometera os porcos da mesma fazenda. Teodoro pensou nisso e se preocupou porque deviam pensar numa nova estratégia para que o animal pudesse beber todo o conteúdo do frasco de poção. Mas como fariam agora? Com uma escada? Pensou melhor.

— Papai, preciso que ele entre no balde, custe o que custar! — E Teodoro, ligeiramente pegou uma corda que estava presa na roldana pendurada em cima do poço e amarrou ao balde que encontrou mais cedo. Nessa tentativa, desvencilhava-se do pescoço enorme e fino do pato e quanto mais notava sua fragilidade quando o vento o jogava de um lado para o outro, mais se apressava.

Terminou de fazer o nó bem dado, jogou o balde e esperou ansioso que ele atingisse a água escura do poço para finalmente iniciar sua pesca matinal. Teodoro, depois, concentrou-se ao máximo fazendo força na testa, para enfiar o pato dentro do balde. Se ele entrasse, puxaria a corda com muita rapidez e o tiraria de dentro daquele lugar, tornando mais fácil a coisa toda. Porém, o pato era muito birrento. Batia as asas, balançava o rabo. Dava saltos para fora d'água e girava de um lado para o outro. Cada birra diferente, outra cor o vestia. Preto, marrom e amarelo-dourado. E o braço dele doía de tanto tentar.

— Se ele entrar no balde, a gente puxa! — disse Graça, apertando a língua entre os dentes.

— E se escalássemos ele como se fosse um coqueiro? — Pensou Augustos falando alto.

— Mas ele pode quebrar! — lembrou Teodoro, apavorado.

— Não seria uma má ideia... — Soltou a mãe, pensativa.

— O QUÊ? — Augustos e Teodoro perguntaram ao mesmo tempo.

— Pescoço de pato no jantar...

— Não desse pato, mamãe! — disse o garoto, mirando o balde bem no rabo do animal. — Imagina... — continuou — comê-lo e logo depois mudar de cor também. Azul, verde, roxo, uma cor diferente a cada minuto! Seríamos caçados, tirariam fotos da gente, seríamos as aberrações de algum circo do país.

E teve um minuto, de repente, quando finalmente o pato atingiu o fundo do balde em cheio, que Teodoro deu um berro de susto. O animal preencheu perfeitamente o espaço antes vazio e espremendo-se para se acomodar cada vez melhor, ele ficou paradinho esperando o que viria depois.

— CONSEGUI! — gritou o menino, fazendo Graça e Augustos darem um pulo de surpresa.

Os dois voltaram suas cabeças para dentro do poço e olharam o que havia acontecido.

— Viva! — exclamou Augustos, aliviado. — Viva! E puxe logo, vamos, vamos!

Graça ajudou Teodoro na agilidade. Os dois puxaram a corda o mais rápido que podiam, antes que o animal, por uma infelicidade do destino desistisse do aconchego do balde. Puxaram e puxando, o pato vinha junto, elevando seu pescoço ainda mais às alturas. Coitado do animal. Quando menos esperou, precisou se desviar, na manobra mais desajeitada, de um imenso avião com duas turbinas barulhentas e asas para lá de mortais a qualquer cabeça que estivesse à frente. Chegou como um raio, rumo ao seu bico gigante.

Vruuuuuuuuuuuuuuuuuuuuuuuuuuuuuuuuuuuuuuuuuuuu uuuuuummmmm.

Seu pescoço tremeu feito vara verde e se não tivesse chegado mais um pouco para a sua esquerda, já era um pato para todo o sempre. Desengonçado e tentando a todo custo parar de tremer, suas patas sentiram o chão de terra lá embaixo. Teodoro e Graça a muito custo tiraram o pato (agora verde-escuro) de dentro do poço, mas foram surpreendidos quando o animal decidiu que era hora de alçar voo. Levantou poeira, batendo desesperadamente suas asas e, tomando velocidade, atropelou Augustos, Graça e Teodoro, ou o que estivesse à frente. Os três desabaram no chão, esticando seus braços para capturar o fugitivo da vez, mas em vão.

Ao contrário do que pudessem imaginar, a visão do pato era horrível por causa das nuvens. Infelizmente, desatento ao seu rumo, voava agora em direção à floresta. Se não parasse, bateria em alguma árvore ou aconteceria o pior: acabaria num nó ferrenho em alguns galhos e não se soltaria nunca mais.

— Minha nossa... — Era Graça se levantando depressa. — E lá se vai outro animal para a floresta, Augustos!

— Vamos salvá-lo, minha querida! — Augustos limpou a roupa com umas batidinhas e ajudou Teodoro a fazer o mesmo. — Não vamos perder esse.

Dito isso, por maior que fosse o seu cansaço, o homem correu outra vez para a floresta. Graça ficou tão nervosa que sentiu seu coração disparar mais rápido do que antes, e então, para não ficar tão ansiosa só esperando o retorno de Augustos com o pato debaixo do braço, decidiu correr atrás dele também. E como de costume, Teodoro não iria desgrudar dos dois. Partiu junto do pai e da mãe.

— Vamos curar esse pato, nem que isso seja a última coisa a ser feita por ele — disse Teodoro alcançando Augustos, determinado a ajudar também.

Capítulo 9

Não raro, sob a calmaria de alguns troncos e folhas, descansavam os macacos daquela grande floresta. Tino era uma das exceções, entre os animais da sua espécie. Jovem e muito esperto, não perdia uma chance de colocar seus irmãos em enrascadas emocionantes e por isso mesmo não gostava, nada, nada de perder tantas horas *sonecando* feito um bobo. Quando não estava pulando de galho em galho perturbando seus irmãos, banhava-se no riacho durante as tardes, jogando água para todos os lados. Ora se cansava dos mergulhos, e então corria para caçar piolho nos macacos menores e acabava numa briga com os macacos maiores para ver quem catava a maior quantidade. Tino sempre ganhava. Seus dedinhos eram pequenos e finos, mas ágeis como um raio. Nem fechava a boca para não perder tempo. Enquanto engolia um dos bichinhos já tinha outro na mira. *Nhac!* E próximo!

Era assim dia após dia, uma confusão atrás de outra. A última vez em que pregara para seus irmãos, ele tomou conhecimento de uma parte da floresta onde havia árvores enormes e secas, com galhos super finos e quebradiços. Apostou uma corrida alucinante entre elas, em que a regra número um era não tocar o chão ou se não levava um cascudão. E era assim que ele falava:

— Pisou no chão, é cascudão! — Fechava a mãozinha e com um golpe certeiro, batia na cabeça da vítima.

Tino implorou que um deles o acompanhasse na brincadeira até que o outro macaco aceitasse. E aceitando o infeliz desafio, não deu outra, senão cascudão nele. Outra vez, desafiou outros irmãos a pegarem uma banana bem no seu cacho, quando de repente, ao invés de puxar a fruta, uma cobra igualmente amarela saltou para cima deles, irritadíssima com o passatempo de Tino. Ele ria tanto que rolava no chão de barriga para cima.

O macaco não via tempo ruim para nenhuma aventura. Naquela tarde, assim, como em tantas outras, bolava uma estranha armadilha para seus irmãos caírem. Montava um buraco fundo no solo da floresta e uma cama de folhas para disfarçá-lo bem. Só de pensar, caía na gargalhada sozinho. A regra da brincadeira daquela vez seria a de sair sem tocar em nada. Se não soubesse voar, a tarefa seria mais difícil ou quase impossível. Estava prestes a ver um macaco criar asas pela primeira vez na vida. Ele espalhava as folhas numa grade de galhos com muito cuidado para não cair na própria armadilha.

Foi quando, de costas, sentiu o chão tremer e o vento das árvores atingir sua nuca, arrepiando todo o pelo, dos pés à cabeça. Um pato de pescoço comprido vinha em sua direção, fazendo as árvores balançarem furiosas, deixando cair uma quantidade significativa de folhas no chão, afastando pássaros e inclusive os outros macacos que dormiam um sono profundo por onde ele passava.

O barulho foi tão alto que chegou a estremecer a floresta inteira. As onças fugiram, as formigas voltaram para o seu formigueiro, os peixinhos do riacho próximo nadaram velozes à procura de um cantinho qualquer que fosse mais seguro. A criatura espantava a todos, menos Tino, o mais atrevido dos macacos, ou por que não dos animais? Justo quando tramava aquela peça incrível contra seus irmãos.

— Você quer morrer?! — gritou Lino, seu irmão mais velho, bem bobalhão.

— Saia já daí, seu paspalhão! — berrou Nino, seu pai caretão.

Porém, Tino não quis escutar. Suas vozes se tornaram sussurros abafados ao longe quando ele percebeu finalmente que o pato não tomaria outro caminho tão fácil e por isso mesmo continuou correndo em sua direção como um trem desgovernado. O pescoço dele parecia um cipó, ora verde vômito, ora amarelo remela, tudo tão estranho e pavoroso, porém e ainda assim muito menos para Tino. Seus familiares gritavam desesperados nos galhos próximos, balançando-os com força na esperança de que aquela criatura diferente fosse desviar o pobre macaco metido a espertalhão, mas Tino não saía do lugar. Estava fascinado com o show de cores do pato.

— O que ele quer fazer? — perguntou Diná, sua mãe.

— Acho que Tino vai subir naquele cipó doido! — disse Sino, seu irmãozinho mais novo se referindo ao molenga e fino pescoço do pato.

O "cipó", àquela altura, era tão doido que grasnava e rebolada de um lado para o outro, conforme ele corria. Quem estava debaixo da copa das árvores não conseguia enxergar o que se passava mais em cima. Sobre elas, o pato lutava para se desvencilhar de toda aquela vegetação densa, arranhando seu frágil pescoço que já atingia a altura de um prédio de cinco andares. Lá debaixo, seu corpinho era ágil, porém as asas já não pareciam tão fortes a ponto de tomar voo.

Pobre destino era o daquele pato, que embora colorido e chamativo, nem mesmo serviria de presa para o almoço de alguns animais. Ninguém se atreveria a lanchar uma criatura tão estranha e aparentemente perigosa como aquela. Além da aparência, seu gosto poderia estar muito pior. Mas aquela corrida não duraria muito tempo. Ele sentiu um puxão estranho que o fez grasnar apontando seu imenso bico para o azul do céu.

"Vão me estrangular", pensou ele, "vão cortar o meu pescoço como o tronco velho de uma árvore", continuou. "Se um animal não for capaz de me comer vivo, um homem será. Eles são loucos. Looooucos!".

E aquele inesperado puxão de pescoço foi a gota d'água para ele perder suas forças. O pato mergulhou o que restava do seu pescoço por debaixo do emaranhado de folhas e galhos quando foi possível enxergar o que fazia peso para ele ir ao chão. Era um macaco montado nele, feito um peão em rodeio.

Seu bico gigante desabou levantando muita poeira e folhas secas. Quando, enfim, sentiu certo alívio por ainda estar vivo, ouviu ao longe passos que vinham em sua direção. Não eram passos de bicho, certamente. Eram de pessoas. E a cada segundo estavam mais próximos.

"Agora, já era. Não tem mais para onde correr", pensava o animal sem forças para se levantar outra vez. Sentiu a criatura desgarrar seu pescoço comprido (agora cor de laranja). Tino se arrepiou por inteiro ao vislumbrar os humanos se aproximando. Deu um berro de pavor e correu o mais rápido que podia para o mais alto das árvores, onde sua família o aguardava, ansiosa.

— Os homens são as criaturas mais assustadoras que eu conheço — disse abraçando Diná com o coração cheio de presa.

Graça, Augustos e o pequeno Teodoro conseguiram alcançar o pato pescoçudo antes mesmo de ele tentar escapulir outra vez. Por sorte, seu cansaço o fez manso como nunca e ajudou o menino a enfiar a sua fórmula mágica e multicolorida inteirinha goela abaixo.

Juntos, todos viram a transformação acontecer diante dos seus olhos cheios de esperança. O bico do pato estremeceu e voltou ao seu tamanho comum. Um estalo e o pescoço também voltou a ser o que era antes. Suas penas, normalmente brancas, não mudaram mais de cor. Eram branquinhas e só brancas de novo. Emocionado, Teodoro quase chorou, Augustos respirou aliviado abraçando Graça que limpava a lágrima que riscava suas maçãs vermelhas do rosto.

O remédio funcionava de verdade! Nenhum animal daquela fazenda sofreria de novo desse mal misterioso e a prova estava bem diante deles. O pato estava curado.

Decidiram guardar todos os frascos de poção mágica de volta ao casebre velho pelo fato de estarem todos eles cansados por toda a agitação da manhã. O que fosse aquela doença era muito grave e seu rastro era nítido em toda a fazenda. Algumas galinhas andavam para trás, outros porcos se lambiam feito gatinhos. De repente, tudo se tornou um caos e ao chegar da tarde, Teodoro tinha a cabeça fervilhando de tanta dor, a barriga de Graça era um rebuliço só do tanto que foi capaz de se preocupar e seu amado marido tinha os braços sem força pelo esforço feito, carregando a porca e o pato de volta aos seus lares. Por isso, as camas foram preparadas muito antes do jantar chegar à mesa e dormindo mais de oito horas, viajaram nos sonhos mais doidos e confusos de suas vidas.

Teodoro acordou com as orelhas ardendo e o rosto pegando fogo. O quarto inundado de sol fez com que ele despertasse assustado e percebesse que, embora as janelas já estivessem abertas por sua mãe, nenhuma brisa agradável deslizava pelas cortinas. Restando levantar-se para outro dia de suas férias de verão, concluiu o ritual matinal de ir ao banheiro e voltar à cozinha em busca de Graça para lhe preparar um leite bem quentinho.

Ainda coçando os olhos de sono não a encontrou em canto algum. Fez o mesmo com o pai e nada dele também. Talvez estivesse na cidade comprando novidades. Era domingo e ele sempre buscava fazer algo diferente nesse dia comumente depressivo. Mas, como estava de férias, tanto fazia ser domingo ou segunda... todo dia era feriado! Apesar das confusões anteriores e o tanto que ainda tinham para acertar, uma hora se sentariam na varanda para um refresco e um bate-papo animado.

Saindo de casa, sentiu o mormaço do sol queimar sua pele. Foi como abrir o forno quando ele já está bem quente. Protegeu os olhos contra a luz e conseguiu avistar um panorama bem diferente do dia anterior. Muito provável, seus pais aproveitaram o início da manhã para medicar os animais enquanto ele ainda dormia porque os porcos estavam desinchados e satisfeitos com os corpos totalmente cobertos de lama. Naquele calor, deveria ser uma experiência agradável. E os patos deslizavam nas águas de um laguinho montado por Augustos, especialmente para eles. Ora ou outra mergulharam suas cabeças para se refrescarem um pouco. Teodoro desejou ser um deles naquele momento.

Em busca de uma sombra qualquer, conseguiu avistar a porta do casebre fechada, assim como sua janelinha. O carro de Augustos não estava, o que lhe fazia admitir sua ida, de fato, à cidade. Foi olhar mais perto o lugar onde guardava sua curiosa fórmula e conseguindo vislumbrar, entre as frestas de madeira da porta, algo das prateleiras onde Augustos guardava sua considerável coleção de chaves de fenda, decidiu, então, ampliar a visão, em vista daquela que ainda não lhe ajudava, e foi apressando o passo até a janela com o trinco quebrado sentindo o coração apertar estranhamente. Esticou os pés para alcançar altura suficiente quando percebeu que, enquanto fazia isso, a arrumação dos frascos na estante, lá dentro, mudava rapidamente.

Quando finalmente conseguiu força suficiente para se equilibrar e firmar o olhar nos frascos coloridos, Teodoro abriu a boca, espantado, varreu os olhos com pressa pela sala ao constatar que os remédios não estavam arrumados, como havia deixado no dia anterior. Pelo contrário. Alguns foram jogados ao chão, derramados como coisa qualquer. E não era só isso. O lugar parecia imundo de terra, isso é, o assoalho e as prateleiras, tudo remexido por uma suposta mão incrivelmente suja.

"Não é possível", pensava, "papai e mamãe terem feito isso a algo tão valioso." Só era possível alguém muito sapeca, atrevido e bagunceiro ter feito toda aquela algazarra na calada da noite, sem ninguém perceber. Claro, não acordariam nem se uma bomba tivesse explodido no galinheiro devido ao cansaço que sentiam por causa do dia anterior. Só podia ser o Saci, só podia.

Teodoro não suportou ficar parado olhando. Tratou de abrir a janela e pular para dentro, dessa vez, sem nenhum medo da possível aparição repentina do pai. Tinha a certeza de que se Augustos tivesse visto aquilo jamais pensaria em enxotá-lo para fora, sim, em ajudá-lo a resolver aquele grande problema. Se ele já não estivesse sentindo saudades do pai seria mentira e com menos pavor enfrentaria a situação naquele instante. Cacos de vidro haviam se espalhado em meio a uma razoável quantidade de terra esparramada pelo chão. As paredes não escaparam da sujeira. Havia marcas borradas como de pequenas mãos sujas de lama, evidenciando uma suposta invasão.

Enquanto farejava algo diferente no ar, sentia-se ao mesmo tempo como alguém observado por muitos olhos. Até seu próprio cabelo o sobressaltara. Ao virar-se bruscamente, ouviu ao mesmo instante um estalo que parecia vir dos pés. Ele deu um pulo, quase se desequilibrou e caiu de bunda no chão. Segurou-se em alguns caixotes e de repente um silêncio profundo cortou o ar de forma a torná-lo ainda mais atento a qualquer movimento repentino.

Teodoro varreu a sala com os olhos, mas parou ao chegar à prateleira dos remédios.

QUE ESTRANHO! Mais três vidros de sua fórmula mágica haviam desaparecido e bem debaixo do seu nariz. No total, ele e seu pai encheram em média vinte e cinco vidrinhos de remédio mágico. Alguns foram levados para os porcos, patos e cavalos no dia anterior e talvez (ainda não sabia) naquela manhã. Sobraram dez. Antes mesmo de pular outra vez a janela minutos antes, Teodoro havia contado exatamente essa quantidade, mas agora, não se sabe como, conseguia ver somente três. Alguma coisa absurdamente rápida e sobrenatural brincava com seus sentidos, bagunçava seus pensamentos.

— SAIA DO SEU ESCONDERIJO, SEU SACI FANFARRÃO!

Teodoro não sabia exatamente o que significava "fanfarrão", mas achava ofensivo ouvir sua mãe falando dos vizinhos daquele jeito. Então, servia bem para aquele momento.

Porém, não houve resposta, só a tristeza em ver aquela quantidade irrisória para curar o restante de todos os animais da fazenda. Teodoro repassou os ingredientes que usou para realizá-las em sua cabeça e talvez não conseguisse repetir a mesma fórmula numa outra tentativa. Teria tido sorte de primeira? Não sabia. A impotência diante daquela cena fez seu coração apertar.

Nem pai, nem mãe apareciam como uma luz radiante no fim de um túnel escuro. Ainda que fizesse todo o esforço possível para pensar positivo, a insegurança o transformara num medroso de primeira, deixando que o pessimismo tomasse conta dos seus pensamentos. Que manhã péssima!

O lema de Teodoro costumava ser o de otimismo, sempre. Só depois de ver seu trabalho derramado sobre o chão do casebre foi que sentiu a enorme dificuldade que era para pensar assim. Pisou, sem querer, no líquido multicolorido ao tentar sair de perto das prateleiras. Virou-se em direção à janela outra vez, pois seus olhos capturaram uma imagem curiosa na parede, ali perto. Eram marcas de lama, misturadas ao colorido intenso de sua fórmula mágica. A sujeira formara um caminho partindo de um buraco do tamanho de uma noz, bem na parede, na altura dos seus olhos. Curiosamente terminava exatamente perto dos seus remédios. Aquilo foi capaz de fazê-lo deduzir algumas ideias sobre o paradeiro dos tubos que faltavam.

Para entender melhor, precisou pular para fora do casebre e não desgrudar seus olhos daquela pista preciosa. Eram passos enlameados sim, feitos por pés pequenos demais para atravessarem aquele buraco. Subiam a parede e desciam até a grama do outro lado tomando a direção da floresta (bendita floresta!). Seja como fosse, ao chegar ao fim da linha, encontraria o que era seu por direito. Começou, então, a seguir o rastro colorido e enlameado, formado por aquilo que mais pareciam pés minúsculos e imundos.

Sua vontade mesmo era conseguir reunir todas aquelas gotinhas preciosas de remédio num frasco qualquer, mas era tarde demais. Acompanhou cada uma, gota por gota, até que seus olhos encontrassem a última delas, disposta, brilhante pelo sol, no cume de um enorme formigueiro cor de barro, endurecido pelo calor, ainda na orla da floresta. Tinha pouco menos de um metro, com uma boca redonda, perfeitamente construída para entrada e saída de seres bem pequenos, ou para algo da largura dos seus frascos. Teriam sido levados pelas formigas até aquele lugar.

Apertou os olhos para ver melhor e quando finalmente se aproximou, era um dos seus tubos de ensaio entalado bem na entrada do formigueiro. Ele se balançava de um lado para outro como se o que estivesse puxando para baixo o forçasse a passar. Teodoro tinha pavor dessas formigas grandalhonas. Elas nunca pareciam amigáveis e quando traziam uma leve e rara impressão de paz em seus olhos, os ferrões eram implacáveis em infligir uma dor insuportável.

Entretanto, não era mais tempo de sentir medo de formiga, aliás, já tinha onze anos! Por isso, Teodoro esticou a mão em direção ao frasco de remédio. Foi puxando bem devagar até que para seu espanto viu uma minúscula mão puxar o tubo de volta para o buraco onde uma suposta criatura se escondia.

Capítulo 10

Teodoro pôs as mãos sobre os olhos arregalados e entre os dedos trêmulos relutou a acreditar no que acabava de ver. Já ouvira histórias suficientemente assustadoras sobre pragas gigantes de fazenda, aberrações humanoides espreitando a vida dos humanos, escondidas na mata escura, criaturas endiabradas que tinham como esporte favorito infernizar a vida de fazendeiros de bom coração e de crianças arteiras. O que havia acabado de enxergar não era fruto da sua imaginação, apesar de usá-la, ultimamente o suficiente para solucionar os problemas que apareciam, criando o que jamais imaginava criar. Mas, nem por isso, se sentia preparado para dar de cara com qualquer criatura que não fosse um animal de verdade.

Seja lá o que fosse, aquela coisa tinha um bracinho fino muito parecido com um braço humano, porém do tamanho de um palito de fósforo. Outro detalhe, rapidamente notado, foram seus dedinhos que se fecharam em torno do vidrinho de remédio e com força o puxava de volta para dentro do buraco onde estava escondido. Continuou tentando para ver se conseguia fazê-lo passar pela boca do formigueiro, porém só mexia o vidrinho de um lado para o outro, na tentativa desesperada de enfim sugá-lo terra abaixo. Que horror!

Teodoro ora tapava os olhos com os dedos, ora os abria, espiando o que iria acontecer em seguida. Preparava o coração para qualquer surpresa, respirando fundo, tentando ao menos controlar os batimentos cardíacos que estavam acelerados feito um tambor de escola de samba.

De repente, notou que o vidrinho havia parado de se mover. O vento não soprava mais no alto das árvores e tudo parecia incrivelmente silencioso. Seu coração só não pulava boca afora porque ainda a mantinha fechada.

De dentro do formigueiro, o frasco da poção foi subindo, como se a qualquer instante ela pudesse ser cuspida. Com ele, dedos minúsculos e braços finíssimos apareciam lentamente, acompanhados de um amontoado de flores pequeninas e muito mato bagunçado, de maneira que Teodoro pudesse ver, enfim, o que era aquilo que segurava seu remédio. Olhos grandes e redondos, pretos como a casca da jabuticaba, piscavam em sua direção. Da sua cabeça, uma curiosa quantidade de mato parecia ser o seu cabelo enquanto no meio uma flor destacava-se aberta e brilhante em direção ao céu. Tinha a pele recoberta de lama, o nariz arrebitado e orelhas protuberantes, uma maior que a outra. Elas se moviam quando algum galho ao longe estalava na floresta ou quando um mosquito se aproximava.

Era um contraste de cores impressionante, pois seu rosto era sujo de lama e a flor na sua cabeleira era branca azulada como a luz das estrelas. Ao sol, ela brilhava intensamente, o que lhe parecia perceptível a qualquer um que se aproximasse.

Teodoro coçou os olhos e, ao invés de desmaiar ou sair gritando, desesperado para enfiar-se debaixo das cobertas, ele continuou onde estava, porém agora com a boca aberta e cheio de dúvidas na cabeça. Se não estivesse enganado, aquilo seria a maior descoberta da ciência, da história, do mundo! A sua curiosidade substituiu rapidamente o medo e por isso mesmo ficou tentado em chegar mais perto, mas algo lhe dizia para ter cuidado. Por isso mesmo, não deu um passo, nem falou absolutamente nada para não assustar aquela criatura tão engraçada.

— Você é mais feio de perto! — observou a criaturinha um tanto desapontada, equilibrando o frasco com o remédio. A voz dela era fina, mas perfeitamente audível.

— Vo-você fala português? — perguntou Teodoro espantado com a novidade.

— Português? — Ela não parecia muito contente. — Português? Você que fala português! Nós falamos toguês. Vocês roubaram a nossa língua. E nem sabem de onde ela surgiu! Por Glasco! Bem que Pente dizia, vocês são muito fora da terra mesmo!

Teodoro deu alguns passos, cheio de coragem, até a criatura diferente para ver se era real. Bem mais perto, constatou a verdade. Era tão real quanto o sol que queimava seus cabelos ruivos. A ciência estaria em contradição, não acreditariam caso um dia contasse o que via naquela manhã.

Talvez conseguisse pegar de volta o seu remédio sem maiores problemas, pois sentia que a criatura não o atacaria. Não tinha garras afiadas, muito menos dentes grandes e ferozes. Continuou se aproximando...

— E você tem nome? — perguntou o garoto.

— E quem não tem? — indignou-se a criaturinha. — Meu nome é Martelo. Sou da espécie *Caraimunda*.

— Cara... *Caraimunda*? — Teodoro custava acreditar.

— Isso mesmo — falou Martelo. — Sou um Caraimunda com muito orgulho. Melhor do que ser um *Pésujo*. — E torceu a boca como que enojado.

— Eu-eu lavo meus pés todos os dias — retrucou Teodoro, sentindo-se ofendido.

— Você? — Martelo gargalhou fininho e por pouco não largou o frasco. — Você não é um Pésujo. Eles não vivem aqui nesse lugar. Moram escondidos lá no pântano e não limpam o pé por nada nesse mundo. Pronto, falei!

— E você, então, mora aqui? — indagou Teodoro, ajoelhando-se na terra, agora muito perto do Caraimunda. Ele notou que seus olhinhos eram muito mais pretos do que a casca da jabuticaba. Era a noite sem estrelas eternamente dentro deles, sem contar que eram redondos feito bolas de gude.

— Minha família inteira e eu sempre moramos aqui debaixo — respondeu Martelo, fazendo careta por conta do peso do vidro de remédio. — Somos uma família muito grande e todos nós conhecemos vocês daqui debaixo. E achamos vocês muito estranhos, se querem saber...

— Então, existem outros de você? — Espantou-se o menino, perdido em seus pensamentos. Havia muita informação a ser absorvida de uma vez.

— Não de mim, é claro — explicou. — Mas outros da minha espécie. E por isso mesmo, não só a minha família, mas várias de Caraimunda, espalhados por debaixo de toda essa terra. Onde você pisa diariamente é a casa de um Caraimunda. Se você pisa forte, você pode acordar um deles e isso não é legal. Por isso, já que estamos nos falando, vou aproveitar a oportunidade para pedir: pisa mais devagar na terra, *Serimundo*. Você não é o único aqui, tá bem?

Teodoro sacudiu a cabeça, abriu e fechou os olhos, coçando mais um bocado e a criatura continuava lá. Com certeza não seria capaz de evaporar num simples piscar de olhos.

— Eu gostaria de pedir desculpas por isso, mas também preciso pedir outra coisa... — disse ele um tanto tímido, olhando para chão.

Na verdade, Teodoro temia não saber como resolver aquela situação do roubo. Agora que havia conhecido Martelo, que tinha até se afeiçoado a ele, não queria começar uma briga desnecessária. No entanto, sabia que os remédios eram importantes para a vida dos seus animais e não teria outra maneira de solucionar aquela questão. Por esse motivo, continuou falando:

— O que você carrega em suas mãos me pertence e é de grande valor para mim... Então, se você puder me devolver...

O menino sorriu sem graça, querendo esconder o quão nervoso ficou só de pensar em dizer aquelas palavras. Martelo o encarava com seriedade, como se fosse o júri malvado de qualquer concurso de canto, onde o participante não tinha talento algum.

O silêncio instaurado naquela cena era sepulcral. Teodoro começou a achar que deveria tentar mais uma vez, porém e inesperadamente, os cantos da boca miúda de Martelo começaram a tremer, seus olhos encheram-se de lágrimas até o ponto em que não conseguia mais segurá-las. A criaturinha iniciou um choro alto e agudo. Finos riscos de um líquido cor de abacate escorriam rosto abaixo. Era como água, mas de cor diferente. Do alto da sua cabeça, a flor virada para cima, a que se destacava na presença das outras miúdas, começava a murchar e murchou tanto a ponto de ficar bem no meio do nariz. Martelo aproveitou e usou algumas pétalas para assoá-lo.

— Perdoe-me por essa lamentação — dizia com a voz muito triste. — Eu não estava preparado para isso. Estou tão triste e desesperado ultimamente...

Martelo rebolou o corpo inteiro para conseguir sair inteiramente do formigueiro e deslizar terra abaixo com o frasco ainda na mão, até chegar aos joelhos dobrados de Teodoro. O Caraimunda levantou a cabeça, fitou o menino e chorou ainda mais. Suas lágrimas rolavam sem cessar e como já estava esperando, começou a soluçar.

— Eu-eu pe-peço des-desculpa-pas por isso... A-aqui est-está...

Ele ergueu o frasco acima da cabeça esperando que não fosse pego e que Teodoro o poupasse, consentindo que ele continuasse com o remédio, porém sentiu o vidro escapulir das suas mãos.

O Caraimunda tornou a mirar o chão e soluçar descontroladamente. E conforme chorava, perdia as forças para continuar em pé. Deitou-se e esperneava com o rosto virado para a terra. Conforme se batia, seu corpo cobria-se de poeira e com a aguaceira dos seus olhos transformava tudo em lama.

Teodoro, sem saber muito bem o que fazer naquela situação, puxou delicadamente os pés da criatura e a suspendeu no ar, pousando Martelo, com cuidado, na sua própria mão. De cara emburrada, ele sentou cruzando braços e pernas engolindo o máximo que podia do seu choro. O menino equilibrou o Caraimunda na sua mão e concluiu que não pesava quase nada. Era possível que fosse do peso de um tomate.

— Por que você chora tanto? — indagou o garoto surpreso, mas ao mesmo tempo cheio de dó. — Entenda.

Não posso deixar isso com você. Os animais da minha fazenda estão muito doentes... muito doentes e precisam urgentemente...

— Eles estão doentes também? — perguntou Martelo, olhando o menino nos olhos, sentindo a aflição crescer dentro do peito.

— Sim, mas... — Teodoro ficou confuso. — Você também está?

O Caraimunda murchou ainda mais. Os ombros caíram quando o mato de sua cabeça parecia desbotar também. Pobre criaturinha. Sentia um frio na barriga tão forte que fazia suas pernas tremerem.

— Ainda não estou doente — disse ele, jogando para o alto o mato que tapava seus olhos. — Mas boa parte do meu povo está. Sabe essa flor, bem aqui em cima da minha cabeça? — Ele apontou para Teodoro entender melhor. — Chamamos de coronária e é ela que nos dá vida. Se ela seca e perde a cor, morremos e é isso o que está acontecendo. Estamos morrendo e tudo nos leva a acreditar que são os Serimundos os culpados. — Sua coronária permanecia radiante feito uma estrela, porém ainda murcha de tristeza. — A doença se espalha muito rápido — continuou. — Sabemos que chegou ao pântano dos Pésujos, deixando um rastro de morte incalculável, assim como o conselheiro do povo dos *Cometerra* e um dos guerreiros mais brilhantes de todo o povo de *Raizforte*...

— Eu sinto muito. — Entristeceu-se Teodoro com toda aquela história. — Se eu puder ajudar...

Martelo juntou as forças que ainda sobravam e se levantou, voltando a olhar o menino bem nos olhos. Parecia querer traduzir todo o seu sentimento através deles, implorar aquela ajuda pelo escorrer de suas lágrimas verdes.

Teodoro sentiu arder no peito o desejo intenso de ajudá-los, mesmo sabendo que a quantidade de poções guardadas era insuficiente para começar o tratamento daquele povo também. Muito o preocupava, dali para frente, conhecendo a história dos Caraimundas, deixá-los à própria sorte. Além do mais, a culpa era dos seres humanos e isso poderia incluí-lo, mesmo sem saber ao certo no que poderia ter contribuído para aquele fim. Estudou durante anos em sala de aula os impactos gerados pelos humanos na natureza, trazendo uma série de consequências terríveis para o meio ambiente.

A quantidade de floresta no mundo não é a mesma de anos atrás, a qualidade da água do planeta também piorou por conta do lixo que é produzido diariamente. Sua professora de geografia gostava de mostrar gráficos que apontavam o quanto cada um poderia fazer para preservar o que ainda restava. Mas, de tudo o que podia perceber, entendeu que a poluição era mais rápida do que qualquer ação contra ela. A ganância pelo dinheiro e pelo poder mostrava uma face assustadora da ação do homem no mundo, mundo esse que deveria ser visto como a casa comum a todos.

Por outro lado, também percebeu que se cada um pudesse contribuir para não jogar lixo no chão, nas praias, não derrubasse árvores, não matasse animais ou mesmo soubesse da sua importância para a preservação da sua própria vida, o planeta Terra estaria muito mais saudável do que o conhecemos hoje. Sentia que aquele era um chamado importante. Seu remédio era capaz de mudar o rumo da história de um povo inteiro, não só a dos seus animais. Tomou a responsabilidade para si e já estava decidido.

— Serimundo Teodoro — chamou Martelo, provocando uma onda de intenso afeto no menino. — Um dos seus frascos foi dividido para alguns Caraimundas, isso incluindo minha irmã mais nova, a Amora. Sua coronária por pouco não despenca da cabeça. — Ele assoou um pouco mais o seu nariz — Mas quando finalmente tocou os lábios na sua mistura, ela instantaneamente se reanimou. Levantou-se da cama feliz e muito saudável. Observamos você durante dias. — Teodoro tomou um susto. — Porque acreditávamos que você seria capaz de fazer alguma coisa incrível. Tomamos todos os cuidados possíveis para não sermos vistos.

— E não foram mesmo! — confessou o menino, surpreendido.

— Antes de tudo, achávamos que milho e terra nos fortaleceriam, então cozinhávamos durante o dia inteiro panelas e mais panelas de milhos apetitosos. A fumaça ia longe...

— Então, isso explica o cheiro de milho que andávamos sentindo na fazenda.

— E nossa terra toda começou a ter o mesmo cheiro... Milhos da vasta plantação do Serimundo Camargo, depois das árvores desta floresta — completou, cochichando.

— Eu coloquei uma mistura de terra na fórmula, por isso ela também exalava esse perfume. — Teodoro estava radiante com a descoberta inesperada.

— Porém, nada, nada foi melhor do que a sua ideia mágica. Acredite, só você pode nos salvar desse grande mal. Por favor, nos ajude!

Teodoro não abandonou a ideia de poder contribuir para a resolução daquele problema, ainda mais tendo todo o segredo de acabar com a dor e o sofrimento dos Caraimundas e dos povos vizinhos. Todavia, era necessário fazer mais remédio e o mais importante, descobrir a causa da doença. Dessa maneira, Teodoro estendeu o dedo miudinho até Martelo e lhe disse com felicidade na voz:

— Fechado! Vou ajudar vocês! — Martelo abriu um sorriso e só faltou chorar outra vez, mas se controlou. — Não precisa mais roubar os remédios do meu estoque. Aliás, aproveite e leve esse enquanto ganho tempo para fazer ainda mais. Porém, preciso também da ajuda de vocês para descobrirmos o que está por trás de tudo isso.

— É estonteante, magnífico, esplendoroso conhecê-lo mais de perto, apesar de ser bem feio. Ficaríamos horas só para cobri-lo de lama e torná-lo bonito de verdade. — Martelo estendeu sua mão pequena até o miudinho de Teodoro e o apertou com entusiasmo. O menino gargalhava. — Será um imenso prazer colaborar para isso.

— O prazer maior é o meu em conhecê-lo, Martelo — respondeu, balançando a mãozinha da criatura.

Capítulo 11

Do outro lado do cercado de arame que dividia uma fazenda da outra, Abílio, da janela do seu quarto luxuoso no segundo andar da casa, fazia o que de melhor conseguia na vida: bisbilhotar. E para seu espanto, avistou Teodoro ao longe falando sozinho.

— Aquele menino estranho... — Soltou ao perceber a porta do quarto se abrir mais uma vez. — Ele anda falando sozinho, Nadir. Vê se pode!

A mulher magricela pôs a enfiar o rosto pela sobra da fresta da janela ainda aberta a fim de olhar também. Curiosa, coçou a cabeça e deduziu algo interessante, sem antes de se espantar com própria ideia maluca.

— Não sei bem, mas podem ser fantasmas horrendos e que adoram bater um papo animado com as crianças. — E gargalhou de tal maneira que arqueou o corpo para trás com as mãos sobre a barriga seca. — São os fantasmas, Abílio.

Feios e horripilantes! — E continuou rindo, ainda mais alto, quando olhou o rosto amedrontado do marido.

— Bruxa aloprada, não é possível que ele esteja conversando com qualquer alma penada — rosnou Abílio não desejando nunca ter que escutar outra vez a gargalhada maligna de sua mulher. — Parece falar com alguma coisa que não consigo sequer enxergar daqui, porém, parece-me um animal.

Nadir voltou à janela para espiar melhor. Comprimiu os olhos na esperança de enxergar com mais nitidez e concluiu sua observação crispando os lábios, insatisfeita.

— Oh, Abílio, Abílio. — E não riu mais quando sentiu um frio sem paradeiro deslizar suavemente pela nuca, arrepiando fio a fio. — Acho que aquele moleque está segurando um rato, e dos GRANDES, bem na palma de suas mãos.

— RATO?! — perguntou, sobressaltando-se.

— Um rato gordo e muito, muito sujo. Um nojo só! — E deixou o marido a sós, abelhudando o vizinho pela janela, enquanto voltava-se para algumas gavetas da cômoda próxima a enorme cama do casal.

— Mas isso não pode ser possível! — choramingou ele. — Precisamos agir contra essa praga o mais rápido possível e não parar com ela a fim de um papo qualquer. Odeio ratos!

— E o que você está pensando em fazer, seu saco de verrugas?

Abílio voltou-se para ela com a careca brilhando de suor. O sorrisinho escapando no canto dos lábios, os olhos faiscantes de maldade, a testa enrugada feito um tomate velho. Só acontecia quando encontrava lá no fundo dos pensamentos uma ideia de fato boa para infernizar a vida de alguém. Nadir, apesar da pouca irritação que sentia, começava a gostar do que estava prestes a vir.

— Preciso usar o **Matapeste 3000**. — E mostrou todos os dentes brancos e um sorriso tão grande capaz de chegar às suas orelhas peludas. — Só ele vai destruir qualquer praga que ousar chegar mais perto dessa fazenda. Isso, Nadir — o homem começou a farejar como um cachorro louco pela comida da vizinha —, está me cheirando um golpe da peste do Augustos Pepino. Ele vai se ver comigo, ele vai!

Socou o ar apertando os lábios, como quem se concentra em fazer algo difícil. Saiu, então, em disparada pisando forte no chão, desceu a escada como cem cavalos fariam e alcançou os fundos da casa, seu galpão, onde guardava um arsenal poderoso de pesticidas e variados tipos de agrotóxicos proibidos.

Armazenados com muito cuidado em diferentes latas, organizadas em prateleiras cumpridas, Abílio desfilava para eles, olhando cada uma das embalagens atentamente, sem perder as esperanças de que encontraria o que queria a poucos centímetros. Uma dessas embalagens brilhava muito mais do que as outras e no adesivo estava escrito seu nome, que dizia em letras vermelhas e garrafais:

MATAPESTE
3000
Para matar de forma instantânea
qualquer ameaça, seja grande ou
pequena, feia ou bonita, e da pior
forma possível.
Aviso importante: mata bem matado.
Mantenha fora do alcance de crianças
chatas.

Abílio riu com vontade ao apertar a garrafa nas mãos. Ria com tanta força que a sua barriga balançava para cima e para baixo.

Nadir encontrara o marido perverso, minutos depois de descer do quarto, preparando seu borrifador preferido com o agrotóxico mais potente de seu galpão. Ele gargalhava sozinho enquanto fazia e não dera a mínima para a presença da mulher. Estava, na verdade, mergulhado nos seus pensamentos malignos e só o que objetivava naquele instante era o aniquilamento em massa de qualquer espécie de praga que aparecesse na sua frente, e isso não colocava Nadir numa posição muito privilegiada ao das outras. Tratou logo de parar na porta e acompanhá-lo dali mesmo, com receio do que estava prestes a surgir e torcendo para que fosse, mesmo assim, um plano demoníaco.

Como estava escrito na embalagem do veneno: "mata bem matado", era de se deduzir que toda espécie de inseto, fungo, bactérias, ervas e folhas indesejadas por infelicidade do destino fosse facilmente eliminada antes mesmo do pôr do sol. Isso também porque muitos insetos da região preferiam as folhas verdinhas de Abílio e Nadir, seus chuchus sempre prontinhos para colheita, suas berinjelas gorduchas e cheias de brilho.

As lagartas vinham de longe só para provar uma dessas iguarias. Abelhas, borboletas, insetos importantes para o trabalho de polinização acabavam trabalhando por lá também, mas sofrendo em pouco tempo, consequências mortais. E ainda assim, outras caravanas conseguiam encontrar o caminho por onde as levava até a fazenda, vislumbradas até mesmo por histórias fantasiosas sobre o lugar. Mal sabiam que eram conduzidas direto para a morte e que por muito pouco não conseguiam acessar a fazenda vizinha, onde tudo era mais saudável e bonito.

O agrotóxico é um veneno perigoso para a natureza. Lançado na lavoura, Abílio não se preocupava caso ele infiltrasse na terra e contaminasse o solo. Dormia tranquilamente, mesmo sabendo que todo aquele veneno podia intoxicar o lençol freático ou mesmo provocar danos à saúde dos vizinhos e de quem comesse seus legumes e verduras. Ao contrário disso, anotava cheio de desejo a próxima possível compra do mês seguinte.

Na lista só havia dois itens escritos e eram o **Matapeste 4000 Max Matança** e o lançamento **Matapeste Mesmo 5000**. Ao escrevê-la, sentia-se como um garoto apaixonado, rabiscando estrelinhas coloridas e coraçõezinhos ao redor dos nomes. No rosto o sorriso besta e o olhar cheio de desejos maldosos, dos quais só os corações maliciosos eram capazes de ter.

Seu maior desejo na vida era ter uma plantação de legumes capaz de render bastante dinheiro o tempo que fosse. Sua ambição não tinha limites.

— Nenhuma praga, seja ela do céu ou da terra, vai estragar minha lavoura.

E posicionando-se de forma estratégica do lado de fora da sua casa, com Nadir logo atrás aos saltos e gargalhadas irritantemente empolgadas, Abílio borrifou a morte, sem pena alguma sobre sua plantação. Ele não foi capaz de enxergar, mas destruía o almoço delicioso de uma mamãe lagarta e matou (bem matado) uma família de minhocas que passeava deslumbrada por tanta terra fofa e quentinha. Fez chorar uma joaninha perdida de seus pais e uma borboleta cair aos seus pés, morta. Tudo isso acontecia com velocidade, conforme o ar espalhava o veneno, levando-o para longe, entrando pela terra, contaminando o que restava de vida.

O macaco Tino, por entre as árvores da vasta orla da floresta, conseguia observar a cena triste e chorava aos soluços. De tanta lágrima que escorria pelo rosto, seu coração doía, incapaz de fazer qualquer coisa para ajudar quem merecia. Gritou sem sucesso, agitou algumas árvores, porém sentia ser tarde demais. Viu ao longe a espessa fumaça branca deixar a paisagem encoberta e na medida em que se tornava mais difícil para enxergar, mais nítida era a impressão de que aquela nuvem mortal se aproximava dele. Não tinha outra ideia senão fugir, enquanto do outro lado, Abílio Abelho gargalhava, acompanhado das palminhas frenéticas de Nadir.

Porém, teve uma ideia repentina e tomou outra direção na mata. Tino conversaria urgentemente sobre o que acabara de ver na fazenda dos Serimundos com o Ancião dos Caraimundas. Se o conhecia bem, apresentaria uma solução verdadeira para acabar de uma vez por todas com aqueles venenos.

O Ancião era o Caraimunda mais velho de todos. Faltava-lhe alguns dentes da frente de sua boca, usava uma bengala feita de palito de fósforo e estava sempre cansado demais para dizer tantas coisas. Ele ouvia muito, isso sim e por isso mesmo, quem por muito tempo passava conversando com ele, notava que a sua sabedoria estava no silêncio e na paciência de esperar o outro terminar. Só falava quando achava necessário. Tinha no topo de sua cabeça um mato muito ralo, algo parecido com musgo e sua coronária, apesar de brilhar intensamente, faltava a maioria de suas pétalas, sinal da idade avançada, já que para eles era difícil notar as rugas por conta da lama dos seus corpos.

— Ancião, acabo de ver a cena mais triste de toda minha vida. — Chegou Tino ao seu lado ofegante. O velhote estava na beira de um riacho, sentado em cima de uma pedra.

Mastigava um pedaço de casca de laranja demoradamente, espiando com os olhos cansados a movimentação hipnotizante de águas cristalinas. — Queira o senhor acredite ou não, mas o mundo aqui de cima está mudado. Os seres humanos... quer dizer, os Serimundos não esperam mais o tempo de cada vegetal, não provam mais o gosto real das pequenas coisas da vida. — Tino parava a intervalos para respirar fundo, engolindo o choro para continuar. — Eles preferem o que chamam de dinheiro e esquecem o que realmente vale a pena para viver.

— Dinheiro... sinônimo de pobreza do espírito, macaco — disse o Ancião, com sua voz arrastada.

— O que adianta o nosso trabalho para manter essa terra saudável, o ar limpo, a água pura para beber se os homens logo, logo destroem e matam tudo?

— Só o amor pela natureza uma hora os despertará para a grande realidade. No momento em que descobrirem que somos um só já terão matado a si mesmos há muito tempo. — E o Ancião falava de coisas muito bonitas, tentando tranquilizar o coração de Tino. A realidade da vida tornava-se mais clara para ele à medida que o Ancião explicava tudo.

O macaco sentou-se ao lado do velho e secou o tantinho de lágrima que escorria no rosto. A lembrança triste de minutos atrás abria um buraco fundo e escuro no próprio coração.

— Ancião das Terras — disse ele, ainda preocupado. — Seu povo está doente por causa dos Serimundos. Eu vi com meus próprios olhos, há pouco, lá na orla da floresta, um deles atirando veneno no ar e matando uma porção de insetos, aves e abelhas que passavam bem na hora errada.

— Esse veneno, macaco, entra na terra e polui as águas que correm lá embaixo. Logo mais, será tarde tanto para mim como para você e para eles. — E fez um silêncio demorado, calando à força até mesmo o assobio do vento. Porém, foi nesse momento que a inspiração tornou a movimentar as engrenagens de Tino, esquentando seu peito outra vez.

— Vamos fazer alguma coisa para não perdermos as nossas famílias e casas, Ancião! A hora é agora ou será tarde demais.

O Caraimunda o olhou demoradamente e sentiu seu desespero. Uma boa ideia, então surgiu.

— Macaco, vamos nos unir como nunca nos unimos. Chame todos os outros macacos, pássaros, peixes e formigas. Vá à aldeia dos Cometerra, dos Paparaizes, Pésujos e Raizesfortes. Espalhe o relato do que viu aos Anciões de cada uma delas e peça que me encontrem para uma importante e urgente reunião, amanhã.

Tino pulou e rodopiou no ar de alegria. Sua empolgação contagiou o velhote mais sábio dos povos da terra, fazendo-o sorrir de boca cheia, deixando à mostra seus dentes faltosos. E gargalhando disse:

— A natureza, macaco, é a casa de todos nós. Mal sabem os Serimundos que salvando nossa floresta, estaremos salvando eles mesmos.

E continuou mastigando as cascas de laranja, sereno e ainda mais pensativo.

Capítulo 12

Tino chegou à árvore de sua família. Tagarelou sem parar, fazendo gestos malucos para contar tudinho do que havia visto na fazenda e sobre sua conversa com o Ancião dos Caraimundas. Tim-Tim por Tim-Tim, terminada a sua narrativa, pulou para outra árvore e de galho em galho fez o mesmo.

— Os homens, os homens estão nos matando! Acode! Acode! O grandioso Ancião dos Caraimundas está convocando uma importante reunião amanhã, no local de sempre. Debaixo do pé de jabuticaba, bem próximo do riacho.

Depressa, pulou, pulou e pulou sempre para os galhos lá de cima até finalmente alcançar o lugar mais alto de toda a floresta. O macaco vislumbrou o glorioso mar de folhas verdes iluminadas pelo sol quente da tarde ao seu redor, sentindo uma brisa leve tocar seus pelos do rosto.

Equilibrado numa árvore chamada sumaúma, centenária, chamou alto por uma sabiá que por ali cantava emocionada.

— Senhora Sabiá!

— O-o que você deseja, macaco nesse momento de rara beleza musical? — perguntou ela, um tanto metida, limpando a garganta, preparando-a para continuar a canção.

— Os homens, os homens estão nos matando! Acode! Acode! O grandioso Ancião dos Caraimundas está convocando uma importante reunião amanhã no local de sempre. Debaixo do pé de jabuticaba, bem próximo do riacho.

O pássaro se aterrorizou. Engasgou-se e tomou voo acelerado, esforçando-se para gritar aos demais passarinhos a tão importante notícia.

Rápido como um gato molhado, Tino continuou pulando. Pulou num galho fino, depois pulou para outro grandalhão. Desceu, desceu e desceu até que enfim chegava ao riacho do famoso e valente peixe pintado, chamado Surubim. O peixe era bem grande, bonito e com cara de machão. Não gostou nada, nada de ser interrompido por Tino. Estava prestes a abocanhar seu lanche da tarde, uma suculenta minhoca distraída boiando na água.

— Pintado Surubim! — Ele gostava de ser chamado assim.

O peixe se estremeceu e logo viu decepcionado quem o chamava.

— O que você deseja, seu macaco intrometido? — falou entredentes, fulminando o macaco com os olhos. — Fale logo antes que eu morda o seu rabo ao invés de morder essa minhoca.

Tino engoliu em seco e tratou de falar o que realmente importava:

— Os homens, os homens. Acode, acode. O grandioso Ancião dos Caraimundas está convocando uma importante reunião amanhã no local de sempre. Debaixo do pé de jabuticaba, bem próximo desse riacho.

O peixe deu um berro debaixo d'água espalhando bolhas aceleradas por toda a parte e foi logo se mexendo para avisar aos outros peixes da urgente notícia. Até com o Lambari falou, sujeito esse que sempre implicava com o Surubim por seu jeito desengonçado e grandalhão. Porém, em momentos de perigo iminente onde estivesse envolvendo todos os peixes, não importava mais o lado da sua história. Todos se uniam por um bem comum. Por isso mesmo, os dois inimigos de outrora trabalharam juntos para salvar todo mundo, sem brigas ou desentendimento.

Tino continuou no seu trabalho e de tanto que tagarelou pela floresta conseguiu fazer com que a notícia do encontro com o Ancião dos Caraimundas chegasse às outras terras mais longínquas. Estivera com os Cometerras, sujeitos miúdos com cara de espanto. Olhos arregalados, preparados para enxergar perfeitamente no escuro. Tinham uma boca grande, de orelha a orelha e quando falavam a voz parecia surgir de dentro de um cano, grave e profunda.

Depois, o macaco foi pulando até o pântano onde moravam os Pésujos. Estavam sempre com rosto de zanga e andavam encurvados como se carregassem um corcunda invisível. Tinham pés enormes, o que os deixavam com o corpo pequeno, desproporcional demais para quem os via pela primeira vez. Quando a visão se acostumava, não melhorava muito, porém a atenção só podia ir aos seus pés. Sentiam-se ofendidos quando na verdade não os olhassem atentamente durante uma conversa. Por isso, durante todo o encontro com eles, Tino falava para os seus pés gigantes e peludos.

A verdade era que os Pésujos não simpatizavam com os Caraimundas e vice-versa. Toda vez que os Pésujos saíam do pântano, batiam forte na terra, estremecendo a vida dos Caraimundas lá debaixo. A confusão estava sempre armada. E essa briga se estendia durante muitos anos, entretanto, e para a surpresa do macaco, eles não bateram o pé (algo comum quando enfurecidos também) e foram logo compartilhando a mensagem com os demais.

Tino só não demorou no pântano porque sabia da lenda dos jacarés-papa-macaco que moravam ali e que adoravam comer macacos magricelas como ele. Dizia seu pai que essas criaturas horrendas espreitavam as árvores próximas ao pântano e que não deixavam nada escapar de seus dentes afiados. Amigos e conhecidos da família não conseguiram escapulir e o motivo maior era a audácia e a própria coragem desses, tudo o que Tino também apresentava em qualquer batalha.

Então, mais esperto do que corajoso, deu seu recado e escapuliu feito um foguete, observado por duas bolas amarelas e brilhantes que boiavam no lago ali pertinho.

Findado o seu trabalho de mensageiro, retornou o animal à sua árvore costumeira e, de barriga para cima, deitou-se no seu galho preferido, esperando a noite crescer. E enquanto balançava a perna de modo distraído, ninguém imaginava que seus pensamentos estavam tão longe quanto as estrelas que via surgir no céu. Lembrava repetidamente da cena de Abílio na fazenda e sentia no coração a certeza lastimável de que algo pior estava por vir. Assombrado por todas essas coisas, ele não pregou os olhos uma única vez para descansar e não parava de voltar seus pensamentos ao borrifador atirando o veneno fatal pelo ar.

Que tempos difíceis e que homem horrível era Abílio.

Ao se despedir de Martelo, Teodoro, ainda pela manhã, voltou para a casa cheio de sorrisos e vontade de fazer mais uma boa quantidade de remédio mágico para curar agora não só seus animais, mas para salvar um povo inteiro de criaturas que acabara de descobrir. Felizmente não foi por acaso e por isso mesmo ardia no peito a empolgação de ser capaz de transformar suas vidas para sempre através do seu talento para inventar coisas extraordinárias. É claro que não tinha toda essa ideia, porém nunca deixava de acreditar no seu potencial criativo.

No caminho, passando pelo enorme quintal, observou ao longe as vacas tossindo. Do outro lado e mais próximo dele, era notável um galo imponente de peito estufado no telhado do galinheiro de madeira, construído por seu avô há muitos anos, preparado para iniciar o seu costumeiro cocoricó matinal quando de repente, e para a sua surpresa, ele cantou muito mais do que isso. Saía de suas cordas vocais uma melodiosa voz de tenor sustentando agudos e graves impressionantes como as de um cantor famoso.

Foi nessa hora que Teodoro sacudiu a cabeça na vã esperança de que aquilo não passasse somente de uma estranha impressão. Porém, a cena continuou acontecendo e era tão real quanto o cabelo lambido que nascera no Encrenca, seu cachorro caramelo que, pelo contrário do que insinuava seu nome, só vivia dormindo na soleira da porta dos fundos.

Diante desse quadro seríssimo de estranhezas e maluquices estava mais do que na hora de fazer outra quantidade de remédio, entretanto, antes de iniciar o trabalho foi até o quarto procurar papel e lápis para escrever todos os ingredientes antecipadamente a fim de não perder nenhum deles para a sua memória traiçoeira. Checou cada um e à medida que iam surgindo na mente, outra vez aquela ardência no peito provocada pela empolgação de poder ajudar a quem mais precisava se intensificava.

Os minutos se arrastavam e nenhum sinal de sua mãe, nem mesmo de seu pai. O que estariam fazendo longe de casa sem tê-lo avisado? Sua barriga já estava prestes a cantar, como seu galo, de tanta fome. Foi quando decidiu voltar a dormir, porque com fome é muito difícil pensar e trabalhar. Encostou sua cabeça de volta ao travesseiro e foi então quando fechara os olhos que sentiu alguém chegar.

Teodoro despertou pulando da cama, mas antes que pudesse deixar o quarto, notou que o barulho de uma possível porta batendo ou de passos se aproximando não vinha da sala ou do corredor, vinha por debaixo dos seus pés. Olhou depressa para baixo fitando os dedos quando os viu tremer junto ao assoalho de madeira.

O tremor foi se intensificando como se houvesse uma criatura grande demais para caber ali debaixo. A força do que se movia era tamanha que Teodoro pensou ser possível ver a qualquer instante cada pedaço de madeira pregado na terra pular pelos ares feito pulgas enlouquecidas. Ele tentou agarrar alguma coisa para se manter em pé quando tudo tremia forte o bastante, mas ele escorregou e tombou de bunda no chão. Com tanto medo, só tentava chegar à maçaneta da porta e fugir. Seus brinquedos organizados nas prateleiras, livros e quadros pendurados na parede despencaram enquanto quicava e gritava não querendo ver mais nada.

O menino resolveu usar toda a sua força de equilíbrio para se levantar quando de repente tudo parou e silenciou.

Capítulo 13

Teodoro segurou a respiração por alguns instantes antes de conseguir se manter em pé outra vez. O silêncio preencheu seu quarto fazendo-o lembrar das aulas de Geografia do bimestre passado onde sua professora dizia que não havia possibilidade de acontecer terremotos no Brasil, porém dado os últimos episódios, agora mais do que nunca acreditava nos impossíveis. Então, era bem capaz de que pudessem acontecer sim no seu país e não haveria professor algum que o desmentisse depois daquele dia.

Foi lhe dando certa segurança para procurar saber o que havia acontecido metendo a cara para fora do quarto à procura de alguém que o ajudasse na inspeção, mas sem esperar tomou um susto de arrepiar todo o seu cabelo. Os braços ficaram dormentes, as pernas bambas. E com o coração quase nas mãos, viu uma das pequenas tábuas do assoalho de madeira do seu quarto se desprender demoradamente rangendo e tomando certa altura do chão. E do buraco percebia um burburinho de vozes fininhas, aumentando cada vez mais. Dedos miudinhos seguravam a madeira e detrás dela Teodoro viu surgir uma cabeleira de mato muito verde e arrepiada, uma flor branca brilhante ao meio. Viu seus olhos cintilarem feito duas jabuticabas, porém, longe de serem doces, eram tristes e medrosos.

Aquilo era um Caraimunda e não parecia com Martelo. Teodoro foi demonstrando certa tranquilidade ao perceber que daquele buraco só sairia o que já havia conhecido, entretanto, começava a se enganar passados outros tantos minutos quando viu a imensidão de Caraimunda e outras criaturas começarem a se espalhar pelo quarto.

Corriam, amontoavam-se nos cantos, alguns amedrontados por não saberem ao certo onde estavam. Alguns Caraimundas apareciam do chão montados em tatus, cuspindo e espalhando terra para todos os lados. As crianças corriam para seus pais e quase todas as famílias carregavam consigo uma enorme trouxa nas costas, pendurada num graveto. Quando não, levavam os bebês Caraimundas enrolados dentro de uma manta feita de folha coberta de lama. Dava para ver seus olhinhos brilhando por uma fresta que faziam para respirar. Já os adolescentes portavam suas armas de combate. Uns usavam espadas, outros apertavam com as duas mãos uma espécie de lança afiada, mas para Teodoro e seu tamanho, aquilo na verdade não passava de parafusos e agulhas de tricô.

Outra criatura diferente de todas as outras pulou terra afora e Teodoro logo viu que era mais uma que a ciência ainda não havia descoberto. Tinha um jeitão diferente e mais parecia uma centopeia, só que muito maior do que o normal. E na sua cabeça também tinha a flor de nome coronária e brilhava tanto de modo que chegava a iluminar os

Caraimundas mais velhos montados nela. Tinha mais de três mil perninhas e se moviam como que num bailar perfeitamente executado, onde os pés de trás não atrapalhavam os da frente, e os do lado não pisavam naqueles que estavam atrás, nem nos que estavam na frente. Assim, cada um seguia bem e cheios de força para suportar o peso das criaturas conduzidas.

Ela chegou com mais seis Caraimundas velhos montados sobre seu lombo. Três deles eram machos porque Teodoro notara suas barbas longas. Vestiam folhas maiores pelo corpo e tinham a ajuda de cajados de graveto retorcido para se manterem de pé ao descerem. O curioso eram seus pés calçados, porque nenhum outro Caraimunda mais jovem usava sapatos. Mas não era qualquer sapato. O menino adivinhou do que eram feitos porque adorava fazer bonecos com aquele tipo de material. Eram feitos de barro e não pareciam nada confortáveis. Talvez fosse porque sentissem mais frio à noite e como debaixo da terra nunca era dia para aquecê-los, frio nos pés era algo muito comum.

Os outros três eram fêmeas e bem velhinhas. Não carregavam cajados e por isso pareciam mais fortes. Suas orelhas eram maiores do que as dos mais novos e seus dedos eram grandes e finos. As folhas que cobriam o corpo mais pareciam um vestido, amarradas com cuidado na cintura e nos braços. Elas também tinham sua vaidade.

Enquanto saíam as criaturas do buraco aberto no quarto de Teodoro, ele só conseguia imaginar a grande confusão que seria caso seus pais decidissem chegar bem naquele momento. Era certo que a pressão de Graça iria às alturas de tanto susto e que seu pai começasse um tremelique descontrolado pelo corpo todo, inclusive nos lábios. O pior de tudo era constatar que aquilo era verdade e não um mero sonho. Eles estavam se refugiando em seu quarto por um motivo importante e tinha tudo a ver com o que Martelo havia lhe contado mais cedo.

Todas aquelas criaturinhas traziam em seus rostos sujos de lama a tristeza profunda, mas também se sentiam aliviados por encontrarem amigos ou vizinhos em segurança com um abraço demorado e cheio de afeto. Alguns choravam, independentemente da idade e Teodoro também começava a sentir a mesma tristeza. A doença se espalhava rapidamente pelo povo dos Caraimundas e de repente tudo tomara urgência em seu coração bondoso, despertando a vontade de misturar os ingredientes para o remédio o mais rápido possível. Uns o olhavam com certa alegria, outros nem mesmo se davam conta de sua presença, apressados que estavam para se acomodarem em algum canto.

Teodoro foi acompanhando a comitiva interminável de centopeias enquanto elas subiam carregando mais Caraimundas doentes ou mais velhos. Fracos, permaneceram deitados mesmo quando chegaram. Os mais jovens ajudaram todos a saltarem enquanto as fêmeas que ainda carregavam seus bebês nas costas corriam para medicá-los às pressas. Essas pareciam enfermeiras de um grande hospital. Colocava a mão na testa de um ali, conversava com outro aqui e se preocupava com a segurança de todos que chegavam em estado grave. Diante daquela cena, Teodoro notou que alguns pareciam mudar de cor como seu pato, outros tossiam como as vacas e outros tinham sua coronária murcha e sem cor. Era triste de ver.

O menino enxugou uma lágrima esperta descendo pelas bochechas quando de repente ouviu outro barulho esquisito. Olhou com atenção para o buraco. Outra vez o estalo. Quase morreu de susto quando Martelo apareceu montado num tatu-bola espalhando terra pelo quarto, tentando frear o animal quando o avistara. Conseguiu pará-lo a tempo de não atropelar o novo e precioso amigo, bem aos seus pés grandalhões. Martelo riu da expressão de medo do Teodoro.

— Meu amigo, desculpa pela bagunça! — foi dizendo, enquanto desmontava do tatu.

— Você quase me mata de susto! — confessou Teodoro, ajoelhando-se para olhá-lo melhor.

— Com essa cara, você parece que comeu uma lesma depois de umas boas mastigadas. — E Martelo pôs as mãos na cintura. — Agora, precisamos conversar muito sério.

— Precisamos mesmo, Martelo. — E, por fim, sentou, cruzando as pernas. — Tudo isso está me assustando e entristecendo. Não fazia ideia de que as coisas estavam assim.

— Felizmente, meu amigo, o remédio ficou famoso. Espalhei a notícia de que você nos ajudaria, e como todos já sabiam de quem eu estava falando, correram para cá através do atalho S, seguido pelo atalho I. Foi batata!

E apontava para a passagem de onde saíam outros tantos Caraimundas.

— Seu remédio curou instantaneamente o Bola, fofíssimo; o Chocolate Preto e o Chocolate Branco, que dupla! O Vela, sujeito chato, mas amigável; e a Carretel, que de tanto embolar desembolou de vez. A Rosa, linda de morrer, tomou um dos últimos goles e já conseguiu voltar a falar e tudo...

Martelo recuperou o fôlego para continuar;

— Mas ainda faltam tantos, meu amigo. Ajude-nos antes que seja tarde demais!

O quarto de Teodoro virava oficialmente o novo centro hospitalar da aldeia dos Caraimundas com direito a leito médico competente e com uma equipe dedicada para não deixar nada desandar. A última gota de remédio já havia sido usada e por isso mesmo a farmácia não podia falhar. Mas antes que pudesse voltar ao casebre para ajeitar a preparação de sua fórmula mágica, outro burburinho de vozes se aproximou do quarto e dessa vez vinha da sala.

Foi se aproximando e, quando menos desconfiou, a porta atrás dele se abriu revelando Graça e Augustos acompanhados por um velhinho desdentado, de bochechas vermelhas e óculos grande o suficiente para deixar seus olhos maiores ainda. Era o João dos Pepinos, seu avô.

Capítulo 14

— Ahn! — exclamou o velhote, equilibrado na sua bengala de madeira envernizada. — Não estou acreditando nos meus próprios olhos. — E apertou seus óculos no nariz. — Meus velhos amigos vieram me recepcionar. Que felicidade!

Diante de uma cena daquelas, Graça primeiro deu um berro assustando a todos, escondendo-se atrás do marido. Augustos não suportou o "ó" bem grandão da boca da esposa e a tapou com pressa. Sua mão tremia e quando por fim olhou melhor o chão do quarto de Teodoro sentiu a cabeça rodar. Foi a visão mais bizarra de toda a sua vida. Quando viramos adultos, pensamos que já vimos de tudo nesse mundo, mas sempre aparecem coisas para nos desafiar e dizer o quanto ainda temos por descobrir.

O menino não deu bola para os seus pais e foi logo abraçando seu avô tão amado. Os dois eram verdadeiros amigos. Quando juntos, João voltava a ser criança, apesar das dores do joelho e da coluna. Eram de matar. A verdade era que ele nem ligava, queria era mesmo aproveitar o neto com toda a empolgação que ainda tinha em seu coração.

— Vovô, que surpresa maravilhosa! Você os conhece? — perguntou ele, um tanto confuso.

— Há muitos anos, minha criança. São bons amigos...

Devagar se aproximou da multidão agitada devido aos doentes que não paravam de chegar. Alguns desconfiados se aproximaram também de João, porém as criaturinhas mais velhas o reconheceram fazendo festa, distribuindo-lhe sorrisos, acenos entusiasmados. Quando menos esperou, ele estava rodeado de vivas, aplausos e Caraimunda emocionado.

— Téo, você os encontrou debaixo da terra, cavando algum buraco?

— Não, vovô, por isso precisamos de ajuda e o senhor chegou em boa hora!

Um dos Caraimundas mais velhos abriu caminho pela multidão e se fez visível para João. Com emoção lhe chamou. Conhecido como Romã, era sujo toda a vida, sua bengala era torta, mas servia-lhe perfeitamente bem e a cabeleira não era lá tão espetada como a dos jovens. Já tinha mato até laranja, seco e murcho brotando na cabeça. No seu pé, os sapatinhos de barro faziam *tacle*, *tacle*, *tacle* no assoalho. O recém-chegado Serimundo o reconheceu assim que os seus olhos encontraram os do Caraimunda e por isso eles se afogaram em lágrimas de felicidade.

— Meu leal amigo! — disse Romã entre alguns soluços.

João dos Pepinos estendeu a mão com cuidado e abaixou para que pudesse trazer o amigo para perto. Ele o levou até o peito num gesto de abraço, onde Romã o apertou o quanto pôde.

— Achei que nunca mais o veria — dizia João, enquanto todos faziam silêncio para assistir a cena. — Quanta coragem é a de vocês por aparecerem assim aos nossos olhos outra vez.

— Precisamos reunir forças novamente, meu leal amigo — contava o Caraimunda num misto de tristeza e alegria. — Um veneno ameaça a vida do meu povo e está nos contaminando de pouco em pouco. Não sabemos ainda ao certo de onde vem. O que sabemos é que hora ou outra, a nossa água, o nosso solo, as nossas árvores serão seriamente afetados e estaremos mortinhos antes mesmo que isso aconteça. Veja como estamos. — E esperou que João desse uma boa olhada nos doentes recém-chegados.

Com os olhos arregalados de espanto, Augustos ainda tentava engolir a todo custo a imagem das criaturinhas sujas de terra passeando por todo o quarto do filho, subindo em alguns brinquedos, usando o tapete de leito para os mais doentes e carregando e armazenando os frascos usados para guardar remédio num dos cantos. Pelo visto, aquilo explicava a bagunça no depósito mais cedo, quando precisou entrar e buscar outro vidrinho para alguns patos que faltavam. Era certo que o filho não tivesse feito aquilo durante a madrugada, muito menos Graça com o seu sono pesado. Tinha sido aqueles espertinhos!

— Te-Teodoro, papai, criou uma poção... Um-um remédio mágico que pode mudar nossas vidas para sempre. Ali estão alguns frascos usados para guardá-la. — E apontou para um dos Caraimundas usando toda sua força para segurar um dos vidros.

— Eles conseguiram alguns frascos escondidos e viram que o meu remédio havia curado todos que tomaram —

contava o menino. — Eles moram na terra, papai, aqui debaixo da fazenda. Não é incrível, mamãe?

— É assustador, meu filho — disse Augustos de repente, lembrando-se de algo inesperado e há muito tempo guardado na cabeça. — Cara... Caraimunda era uma lenda muito da estranha. Escutava meu pai contando quando eu ainda era criança. Lembro-me, papai, de quando o senhor me dizia que eram eles que roubavam os milhos da casa. Eu nunca acreditei porque nunca os vi.

— Meu filho, não é porque eles não apareciam para você que não existiam. Aqui estão e é verdade, não é? — E o velhinho piscou para ele, sorrindo.

— Ainda gostamos muito de milho! — contou Martelo, batendo a mãozinha na barriga, passando a língua nos lábios.

— Agora ele vai acreditar que não era eu quem comia milho escondido. Eram vocês, seus danadinhos.

— E o que exatamente estão fazendo aqui no quarto do meu filho? — perguntou Graça, espiando a agitação das criaturas no chão por detrás do ombro de Augustos.

Romã se adiantou e respondeu a mulher assustada:

— Estamos em busca de ajuda. Teodoro é a salvação para o nosso povo. Seu remédio está nos curando...

— E ajudando a curar os animais da nossa fazenda — completou Augustos para ela.

— É um remédio e tanto! — disse Martelo, aos pés de Graça agora. — Mas como muita coisa nessa vida, ele está acabando no estoque e a doença continua se alastrando rapidamente sem entendermos de onde exatamente está surgindo. Receio que nunca encontremos nada...

— Por isso — continuou Romã —, nosso Ancião, o mais sábio de todos, está organizando uma assembleia na floresta junto a todos os povos das terras próximas, incluindo os animais. Será amanhã, perto do riacho, debaixo da jabuticabeira.

— Todos nós estaremos lá! — prontificou-se Teodoro a falar. No seu olhar morava a urgência de querer estar presente na reunião.

— Se forem, de fato, será a primeira vez na história do nosso povo que os Serimundos aparecerão numa de nossas reuniões. Será emblemático! — disse o velho Caraimunda na mão de João, com um enorme sorriso no seu rosto sujo de lama.

— E então, Teodoro. — Martelo tocou num dos seus dedos, chamando-lhe a atenção. — Consegue fazer o remédio outra vez?

Todos olharam para Teodoro, esperando sua resposta. Ele pigarreou sentindo suas sardas queimando quando disse enfim:

— Consigo sim!

— Nós vamos ajudar! — declarou Augustos, levantando a mão, ainda que não houvesse necessidade alguma. — E Graça está conosco nessa. Não é, querida?

— Mas é claro! — confirmou, um tanto preocupada. — João ajudará também?

— Com toda certeza — disse o velhinho. — Vamos ajudar em tudo o que for possível. Já posso até sentir a alegria de poder imaginá-los saudáveis e felizes outra vez.

— Sendo assim, vou precisar de alguns ingredientes — desabafou Teodoro, fazendo um esforço danado para extrair do seu cérebro toda boa ideia que agilizasse os preparativos. — Mamãe, vou precisar daquelas sementes bonitas de pepino para JÁ! E papai, o que eram exatamente aqueles vidrinhos coloridos que estavam na prateleira do casebre há alguns dias?

Augustos deu um pulo de susto ao lembrar.

— Aquilo era sabão! Você vai precisar disso? — Espantou-se, não querendo acreditar que havia medicado os animais com aquelas coisas.

— Deve servir para limpar tudo por dentro, papai. Eu acho que deu foi muito certo — disse ele, rindo.

— Eu ainda tenho alguma coisa na área de serviço — avisou Augustos, um tanto confuso. — Mas não exagere. Não vamos querer os animais arrotando bolhas de sabão pela fazenda.

— E eu vou buscar a casca de uma árvore onde algum pássaro possa estar cantando... — Ia enumerando os ingredientes no dedo. — Poucas jabuticabas, alguns grãos de milho, capim bem verde e outras ervas que eu encontrar pelo caminho.

— Será que esse remédio pode dar um jeito na minha coluna, meu filho? Essa dor está de matar. — Interessou-se João, enquanto devolvia Romã ao chão.

Todos se reuniram no casebre de Augustos e ficaram atrás de Teodoro acompanhando todos os seus movimentos, que mexia suas mãos velozmente entre um ingrediente e outro, conseguindo uma pitada disso ou daquilo. Ia jogando tudo dentro do panelão, onde a mistura começava a ferver e ganhar cor. Logo, o casebre inteiro tornou-se um forno de tão quente que ficou. Da fervura levantava uma fumaça colorida e consistente. Serpenteava o menino e foi se espalhando ao redor de todos os presentes que assistiam a cena, curiosos e ávidos pela vontade de ver aquilo pronto o mais rápido possível. A verdade era que não estavam suportando o cheiro de sabão que vinha dela.

Teodoro esticava o braço até seu baldinho de praia improvisado para pegar o capim mais verde que encontrara no quintal. Aos poucos ia despejando até que não sobrava mais nada. Devagar, também adicionou outra quantidade de sabão, desta vez para acabar com todo o seu conteúdo. O odor expelido pela fórmula acordou os sentidos preguiçosos do menino e fez seu coração palpitar ainda mais forte.

Graça se aproximou do menino para ajudá-lo a mexer o panelão. Exigia muita força nos braços e bastante atenção para não queimar o fundo. Foi como uma surpresa repentina se dar conta de que Teodoro fizera tudo aquilo sozinho e escondido dela. Tinha que prestar mais atenção naquele garoto quando ele não estivesse por perto. Criança sozinha na cozinha era um perigo.

Suando bastante, Graça começou a perceber o líquido soltar bolhas como se fossem puns e foi nesse momento que aproveitou para colocar as sementes de pepino bem nos buraquinhos que se formavam. Enquanto elas sumiam de vista e se misturavam ao remédio, João trouxe a fumaça para perto do próprio nariz e fechando os olhos, se concentrou em sentir seu cheiro peculiar.

— Esplêndido! — disse, lembrando alguém que estava prestes a jantar um prato delicioso no restaurante mais caro da cidade. — Já posso sentir algo diferente nos meus ossos. Essa fórmula é mágica de verdade!

— Pronto! — anunciou Teodoro. — Já podemos testar. Parece-me melhor do que a outra.

As cores inundavam o casebre do seu pai, deixando tudo ainda mais divertido. Amarelo, vermelho, azul sambavam nas paredes e em seus rostos iluminados pela curiosidade. De tempo em tempo, mudavam para o verde, laranja e o lilás. As cores do arco-íris estavam todas em festa pela trabalho mágico de Teodoro. Era lindo de ver.

Separaram a fórmula nos tubinhos de ensaio com a ajuda de uma concha. Enquanto Augustos distribuía uma determinada quantidade para cada um deles, Graça fazia o serviço de tapá-las com cuidado para não vazar nada, nada. Quando terminava, entregava para João dos Pepinos. Seu trabalho consistia em levar para a prateleira os que estavam destinados aos animais da fazenda e Teodoro separava os que estavam prometidos aos Caraimundas.

— Temos o suficiente para um batalhão de homens aqui — disse Augustos satisfeito, bagunçando o cabelo do filho, todo orgulhoso.

— Mas como a quantidade é menor para cada um dos Caraimundas, temos o necessário para salvar todos eles e até a nós mesmos, caso sejamos os próximos — explicou Graça, fechando o último fraco passado para sua mão.

Teodoro fechou a bolsa trazida para comportar todos os frascos necessários e com muito cuidado levou aos amigos adoentados em seu quarto. O alvoroço no hospital improvisado foi tanto que foi preciso armar uma fila para que cada enfermeiro (e somente eles) pudesse pegar o remédio.

Para a festa de todos, Serimundo ou não, mal o primeiro Caraimunda engoliu a fórmula mágica número dois do Teodoro, a criatura tossiu como se estivesse com uma espinha de peixe na garganta e arregalou os olhos, esticou as pernas no leito, expeliu um jato de fumaça roxa pelas orelhas enormes e pimba! Estava bonzinho e cheio de energia outra vez. Levantou-se num pulo só e saiu dançando, rebolando a bundinha, cheio de alegria. A coronária de sua cabeça ganhou uma cor intensa, devolvendo-lhe todo vigor que havia perdido por conta da doença.

Foi uma farra só! Graça chorou de emoção e Augustos segurou as suas lágrimas, mas abraçando o pai com força para mostrar toda a sua felicidade.

— Conseguimos! Conseguimos! — comemorava Teodoro. — Conseguimos fazer o remédio funcionar novamente!

Vivas e glórias eram dados pelos Caraimundas em empolgante comemoração. As criaturinhas também se abraçavam sorridentes, pulavam, choravam cheias de alegria. A partir de então, caso estivessem doentes, não precisavam mais se preocupar porque a cura já era uma realidade. Apesar de ter sido feita pelos Serimundos, Martelo tinha a certeza de que nessa família podiam confiar. Todos tinham corações nobres e cheios de bondade. Salvar a vida de uma criatura, fosse ela grande ou pequena, era sempre a atitude mais bela, merecedora de toda atenção e confiança. Só o entristecia a maldade de tantos outros, motivo pelo qual não apareciam sempre por aí.

A doença que os atingia parecia se agravar rapidamente e o tempo poderia ser capaz de torná-la resistente ao remédio. Não podiam deixar de pensar em acabar com aquele mal pela raiz. Por isso mesmo, os Caraimundas estariam no dia seguinte na floresta, reunidos por essa causa, esquecendo desavenças com os Pésujos e com os Serimundos (ou ao menos com a minoria deles).

Essa situação precisava de uma solução urgente, antes que fosse tarde demais.

Capítulo 15

Logo no dia seguinte, quando o sol decidiu arder tudo o que tivesse ao seu alcance, atrás da cerca a qual separava uma fazenda da outra, Abílio (e já não era uma novidade absurda) bisbilhotava o que acontecia na casa dos seus vizinhos detestáveis com a ajuda de um binóculo. No entanto, sua visão não era a melhor, por isso não era difícil notá-lo sem que estivesse forçando demais sua vista, de olhos semicerrados. Gastou-os demais tomando conta da vida dos outros.

Porém, isso não o abalava, pelo contrário. Não suportava usar óculos, muito menos pessoas de óculos. Não queria parecer gente letrada, *Nerdzinho* ou com pinta de intelectual. Gente inteligente demais o causava raiva e por isso mesmo detestava Teodoro e aquele seu avô vencedor de inúmeras honrarias, medalhas e troféus só porque não precisava plantar usando agrotóxicos.

Teodoro tinha uma visão perfeita e por isso mesmo não precisa de óculos. Mesmo assim, Abílio não deixava de nutrir uma raiva peculiar pelo menino, ainda que pelo simples fato de observá-lo todos os dias no seu quintal inventando coisas mirabolantes para levar para suas "feiras ridículas de ciência". E não satisfeito, parecia ter criado algo abominavelmente inteligente, mesmo estando de férias escolares, fazendo-o lembrar com desgosto de quando ainda era estudante.

Aliás, Abílio não suportava nem mesmo usar uniforme ou abrir um livro que fosse a pedido do professor nos seus tempos de colégio. Odiava sua mochila, fazia careta para todos os seus professores, matava quantas aulas fossem possíveis e ameaçava seus colegas de turma com chutes na bunda caso não dessem a cola durante as provas. Embora tivesse passado anos e anos desde o último dia em que pisara numa sala de aula, Abílio continuou odiando escola, não mais pela obrigatoriedade de ir, mas por ver as crianças indo. Teodoro era o pior tipo de aluno para ele.

Inclinou-se um pouco mais para a grade que separava as fazendas acreditando que isso pudesse melhorar a sua visão e para piorar o que já parecia ruim, conseguiu enxergar seu velho e pior inimigo, João dos Pepinos. Com aquela boina azul-bebê, seu jeito de andar como se levasse uma sacola pesada nos ombros, a bengala cuidadosamente envernizada, sem nenhum arranhãozinho e aqueles óculos quadrados, perfeitamente encaixados no seu rosto enrugado. Não era capaz de saber de onde estava, mas com certeza o velho havia se perfumado com a sua colônia de alfazema favorita. Abílio odiava alfazema.

— É ele mesmo, Nadir — disse entredentes para a mulher ao seu lado. — É aquele homem repulsivo de novo. Não! Não! Não! — choramingou. — Ele outra vez, NÃO!

Agachada também, Nadir olhava atentamente a janela do quarto de Teodoro. Enquanto os adultos conversavam e riam na sala, o garoto ridiculamente inteligente parecia falar sozinho ao vento. Quando andava, era com cuidado, como quem não queria pisar em ovos. Entregava os frascos cheios daquele líquido estranhamente multicolorido para algo no chão e aparentava estar feliz com aquilo.

— Que diabos você acha que está acontecendo ali no quarto daquele moleque, Abílio? — perguntou, tentando em vão roubar o binóculo das mãos do detestável marido.

— Eu não consigo ver nada, mas também não entendo por que esse velho voltou. Não estamos em dezembro, nem é feriado de Páscoa. Será que ele voltou para ficar?! — indagou a si mesmo, ignorando Nadir. — Mesmo assim, com certeza veio para prejudicar nossos negócios, acabar com a nossa plantação, para acabar com tudo! Não podemos deixar isso acontecer, minha varapau mais fina de todas. — Tentou ser fofo. — Não vamos ser derrotados por esse pepino ambulante... — Ele fez silêncio e começou a sussurrar. — Olha, olha, ele está olhando pra cá! Veja... Veja, está dando língua! Que descarado! Que afronta!

Nadir se escondeu um pouco mais, mas não desgrudou os olhos da janela de Teodoro nem por um minuto. Esforçou-se a compreender exatamente com quem ele falava. E para seu espanto, e muito de repente, o menino buscou do chão uma criatura marrom, colocando-a bem na palma da mão. Fez um gesto estranho como se a acariciasse e parecia dizer algumas coisas.

Ignorou os palavrões que Abílio murmurava para João dos Pepinos, disfarçando sua presença o mais que podia, mas não se intimidou em nenhum momento depois de entender o que poderia ser aquilo na mão do moleque. Por um momento, Nadir pensou "que horror", em outro sua barriga revirou num "*growwwn*". Aquilo na mão de Teodoro só podia ser um...

— RATO! — exclamou Nadir, tremendo as mãos e não dando mais a mínima para a altura de sua voz.

De repente, tudo foi confusão. Ao mesmo tempo em que mantinham as cabeças abaixadas, Nadir perdia a cena de vista, Abílio dava pulos insignificantes contra uma criatura que nem mesmo existia ou estava perto deles. Sabia que o garoto tinha a imaginação fértil, que era capaz de inventar coisas irritantemente extraordinárias, mas aquilo já era diferente demais para engolir.

Longe de ter toda aquela criatividade, Nadir por um segundo achou que estava vendo coisa demais. Como ele teria coragem de colocar um rato sujo nas mãos, além é claro de vê-lo conversando com a criatura que parecia respondê-lo também? De uns tempos pra cá, aquelas fazendas andavam muito estranhas. Talvez algo no ar ou, quem sabe, na terra. E agora aparecem ratos. Achava que as criaturas estavam bem longe das fazendas por causa mesmo dos seus venenos mirabolantes.

Abílio continuou saltitante à procura do animal imundo a fim de pisoteá-lo. Nadir de repente caiu na gargalhada ao vê-lo daquele jeito, ainda depois de saber que na verdade estavam bem longe daquele que conseguira avistar. Ela aproveitou que no susto Abílio havia largado o binóculo de lado, o apanhou de vez numa mãozada só. Ao invés de enxergar melhor quando posicionou o binóculo bem nos olhos, não conseguia ver mais nada que a interessasse. Já era tarde demais. As janelas já estavam fechadas.

— Aquele pestinha se escondeu — reclamava a mulher, sentindo a cabeça ferver de raiva. — O menino, Abílio, o menino estava com um rato enorme nas mãos. Sujo até de lama. Um nojo só!

— Isso não é po-po-possível, Nadir. Usei todo veneno contra essas pestes asquerosas. — E enquanto ele falava, a família de Teodoro se reunia na varandinha rindo alto. — Eles estão planejando um ataque contra nossa plantação. Estão trazendo ratos para acabar com os nossos chuchus!

Finalmente, a ponto de Abílio explodir de tanta raiva, espantados Nadir e ele abriram suas bocas com a cena que acabavam de ver. Augustos, Graça, Teodoro e João saíam de casa acompanhados por ratos sujos de lama, enraivecidos, pulando enlouquecidos de um lado para o outro, fazendo a família humana os seguir floresta adentro. Um dos graúdos ia sentado no ombro de João, o outro um tanto menor nas mãos de Teodoro.

E as criaturas não paravam de sair de dentro da casa. Aproximadamente uns duzentos ratos formavam uma fila e iam gingando, um atrás do outro. Além deles, partiam junto as "minhocas gigantes", as "baratas cascudas" (os tatus para nós) e tantas criaturas sinistras da terra dos Caraimundas, totalmente desconhecidas por aquele casal sem vergonha.

Logo fecharam os olhos para não verem mais nenhum outro animal nojento desfilar diante deles. Enquanto Abílio tapava os olhos de Nadir com as suas mãos, Nadir tapava os olhos de Abílio com a mão dela. Ouviam o barulho da caravana sem fim desfilar. Era um som repugnante, daqueles que só fazem os animais que rastejam pela terra. Para se livrar disso, sabia muito bem o que fazer. Existia um veneno perfeito para isso.

— Vamos, chega dessa tortura — disse Abílio choramingando, ouvindo sua mulher gemer também ao destapar seus olhos. — Vamos, Nadir, levante-se! Vamos fazer uma mistura assaz potente para exterminar de vez todas essas pestes que aparecem na nossa frente. Venceremos esses invejosos ridículos!

Nadir Cadinada, então, levantou-se desengonçada e acompanhou seu marido pavoroso até o galpão onde ele guardava seus venenos prediletos. Mata formiga tinha, mata barata, mata mosca, abelha e sapo também existia. Mata borboleta, até o *Desmaiacãobravo* ele guardava. E o *Desmaiacãomanso* também. Era uma infinidade de garrafas que continham os mais ardilosos venenos para exterminar qualquer coisa que existisse na face da Terra com planos de se aproximar de sua fazenda. Uma única dose de veneno já poderia fazer um enorme estrago, mas as ideias de Abílio eram muito mais tóxicas e destrutivas.

Seu plano diabólico era misturar todas as garrafas outra vez, criando um único e mais potente veneno para exterminar pragas do mundo todo. Suas chances de ganhar qualquer rato o elevariam ao nível máximo de exterminador. Não se importava nem um pouco com a sua saúde, quanto menos com a de Nadir ou de seus vizinhos. Seu único objetivo era matar para não perder dinheiro, ainda que já tivesse o bastante para uma vida farta e cheia de regalias. Então, para ele, estava tudo certo, apesar de saber exatamente das consequências para o meio ambiente.

Começou pegando uma panela bem grande e funda. Foi despejando sem critérios ou quantidade certa todo veneno que encontrava pela frente. Das garrafas menores às maiores, virava todas, inclusive as primeiras misturas mortais de Nadir. Sem fogo que fizesse o cozimento, o líquido começava a borbulhar sozinho, levantando uma espessa fumaça de cor roxa. Cheirava a bicho morto pichado no asfalto quente. Uma das garrafas tinha escrito "mata pulgões", na outra "mata o que rasteja" e assim foi de uma a uma, misturando-se com a ajuda da mulher.

Para o espanto dos dois, a cor roxa da fumaça inundava todo o galpão e mudava para um preto bem preto, como quem estivesse queimando pneu. Porém, em vez do cheiro de borracha tostada, a poção levantava um odor pútrido de lixo misturado. Abílio e sua mulher gargalhavam, cantando a vitória antes do tempo...

— E se tudo der certo, cara de varapau seca, vamos vender essa fórmula dos infernos e ficar bem, bem ricos, milionários e quem sabe BILIONÁRIOS para o resto de nossas vidas!
HAHAHAHAHAHAHAHAHAHAHAHAHAHAHAHAHHAHAHA!

Nadir continuou:

— HAHAHAHAHAHAHAHAHAHAHAHA... — E foi perdendo as forças de tanto rir diabolicamente. Sua barriga seca doía, mas continuou falando: — E vamos, vamos poder comprar a fazenda do lado e construir um maravilhoso shopping só para nós. Viverei cheia de joias e bolsas caras! HAHAHAHAHAHAHAHAHAHAHA!

— HAHAHAHAHAHAHAHAHAHAHAHA... — E Abílio perdeu as forças, puxando todo o ar para seus pulmões. — E vamos, vamos plantar pepinos também e o mais importante... Nós nos livraremos dessa criança detestável do Teodoro!

BRRRRRRRRRRRRRRRRRRRRRRRRRRRUUUUUUUUUUM MMMMM.

A fórmula fétida de Abílio e Nadir arrotou bem alto estremecendo as paredes e o teto, fazendo com que os dois se afastassem abruptamente da panela abraçados e cheios de medo.

— Grrrr... — Fizeram os dois ao notarem que estavam abraçados, depois de vários anos sem saber como aquilo era possível. — Urgh! — Fizeram também, ao sentir o cheiro horroroso vindo da mistura.

A fumaça preta espalhava-se por toda parte, o que dificultava ver bem o que tinha pela frente. Sentiam a morte pairar sobre eles e não se importavam. Queriam mesmo era ver o resultado. Por isso, devagar, os dois se aproximaram e juntos bisbilhotaram o conteúdo viscoso se mover e borbulhar. Apresentava uma cor verde-meleca-de-criança brilhando dentro da panela.

— Vamos acabar com esses ratos fedorentos! — disse Nadir com ideias tão repugnantes quanto o veneno mais poderoso do mundo diante dos seus olhos.

Capítulo 16

— Atençããããããooo! — berrava Tino, na tentativa de organizar todos os animais da floresta reunidos no exato local onde havia anunciado, debaixo do pé de jabuticaba, bem próximo do riacho.

Era onde o Ancião gostava de descansar e pensar na vida, sentado numa pedra redonda e gelada. Apesar de toda a agitação, ele mesmo aparentava um semblante calmo e um olhar distante. Ora ou outra coçava sua barba cheia de terra, noutra apanhava a casca de alguma fruta para mastigar.

— Vamos esperar somente o restante dos Caraimundas chegarem — concluiu o macaco empoleirado num dos galhos da enorme árvore. Enquanto isso, lá embaixo os outros animais se aglomeravam na tentativa de se posicionarem o mais perto possível da pedra para ouvir o velho Caraimunda. Ele falava muito baixo.

Aos poucos chegava a passarada. Corruíras, tico-ticos e corrupiões se juntavam aos sabiás para uma verdadeira orquestra a céu aberto. A cantoria bonita embalava o início da reunião, diminuindo um pouco da ansiedade que invadia os corações dos mais afoitos. O Ancião amava subir da terra para ouvi-los e como um apreciador nato de música, pedia até carona a muitos deles só para ouvir de pertinho um desses cantos tão belos quando precisava viajar a outras terras distantes. Era como andar de carro ouvindo sua rádio favorita, sem os boletins chatos de trânsito ou notícias ruins que estragam o dia.

Além da passarada alegre a cantar, desciam também a família de outros macacos da floresta. O mico-leão-dourado chegou acompanhado dos macacos-aranha-de-cara-branca com braços longos parecidos com os de Nadir. Rastejando, se aproximava a sucuri e outras tantas serpentes, abrindo espaço na multidão e do outro lado da mata, vagarosamente apareciam aos poucos os jabutis. De forma elegante, uma mariposa-atlas de cor marrom, com asas que chegavam a trinta centímetros, pousava ao lado da pedra onde o Ancião aguardava a chegada de todos os animais. No mesmo instante, vinha a onça pintada trazendo atrás de si mais seis oncinhas atrapalhadas ansiosas pela próxima parada da mãe a fim de continuarem mamando felizes da vida.

Pelo riacho se aglomeravam os peixes, dos menores aos maiores, liderados e organizados pelo nosso conhecido pintado, o Surubim. Não descansava um segundo porque logo avistou ao longe a aproximação perigosa dos jacarés do pântano. Além deles, o perigo só aumentava com as garças e as ariranhas. As ariranhas eram como onças, só que dentro da água. Tinham sorriso solto e pareciam ser boa praça, mas eram capazes de comer um peixe como o Surubim numa abocanhada só. Por isso mesmo, toda atenção era pouca.

— Viemos em paz — disse um dos jacarés com seu vozeirão rouco, mostrando os dentes que brilhavam na luz do sol. — Não estamos com fome... Não agora, é claro! — E passado sua enorme língua pela boca lançava uma piscadela afrontosa para Tino.

O macaco estremeceu no galho onde estava empoleirado e rápido como um foguete foi se agarrar noutro bem mais distante.

Os Pésujos também já estavam presentes em meio à multidão de animais, assim como os *Paparaizes* que se acotovelavam para encontrar um lugar mais aconchegante e perto da pedra do Ancião. Os mais fortes do povo Paparaiz carregavam seu líder sobre uma cama enfeitada de flores, rodeado pelas mais saborosas raízes de seu reino. De vez em quando, ele esticava seus dedos finos e compridos até uma das muitas vasilhas de ornamento sofisticado onde pudesse puxar uma das raízes e saboreá-las como picolé de chocolate. Fazia isso mantendo o nariz empinado e o olhar fixo à sua frente.

Era um líder jovem em comparação ao Ancião do povo dos Caraimundas. Carregava em sua postura a vaidade dos reis e a soberba dos maus. Apoiava a cabeça ornada por uma tiara de prata com a mão fechada como quem jamais conheceu o esforço em empreender qualquer tarefa pesada, como seus súditos bem conheciam. Já passava de cinco Paparaizes fortes o suficiente para carregá-lo até a pedra.

— Que folgado! — disse a voz fininha, de uma das formigas presentes na multidão.

Além das muitas formigas e de diferentes tamanhos e cores, outros insetos se reuniam na orla do riacho. Aos poucos as aranhas saíam das suas teias lindamente construídas, as minhocas saíam da terra, besouros, abelhas e cigarras se multiplicavam pelo ar. E como se não fosse já o bastante, apareciam como poeira ao longe os Serimundos da fazenda de pepinos, juntamente com uma enorme caravana dos Caraimundas fugitivos de suas terras doentes. Agora, todos os animais só conseguiam olhar para a mesma direção, preocupados com a possibilidade de serem atacados por aqueles homens.

— Não se assustem. — Antecipou-se Tino para a multidão de animais, tomando lugar ao lado do Ancião. — Esses seres humanos foram nossos convidados. Podemos confiar...

Os que já estavam indo embora voltaram a permanecer na reunião, os mais medrosos pararam logo de tremer. Se estavam todos juntos, podiam confiar na palavra de Tino. Ao se aproximarem, todos os animais e insetos pararam de falar e olharam atentamente para cada um deles, de Teodoro a João e de Graça a Augustos. Nenhum mosquito zunia mais e os pássaros encerraram a orquestra.

O Ancião dos Caraimundas se levantou na pedra, equilibrando-se em seu cajado retorcido e fez um gesto com uma das mãos para que seu povo se aproximasse. Assim foi feito e todos os presentes abriram caminho para que o restante dos Caraimundas passasse, assim respeitando a sua vontade. Satisfeito, ele terminou de mastigar um pequeno pedaço de casca de caju e respirou profundamente.

— Bem-vindos ao riacho da jabuticabeira! — disse o Ancião, de modo que todos pudessem escutar e o compreender. — Os Serimundos que quiserem se sentar...

Teodoro fez o que era sugerido, mas antes, é claro, certificando-se de que não esmagaria nenhuma lagarta ou formiga que fosse. Seus pais e o avô o acompanharam até o chão coberto de folhas e assim ficaram mais confortáveis para acompanhar a importante reunião, mesmo que de um lado tivesse uma onça pintada sorrindo para eles e do outro um jacaré piscando um dos olhos como se estivesse querendo paquerar alguém...

Mas sabemos muito bem dos seus interesses degustativos.

— Estamos reunidos aqui... — recomeçou o velho Caraimunda — para discutirmos algo muito importante em relação às nossas vidas. Meu leal amigo Tino, o macaco-prego, presenciou uma cena muito triste e que me alertou para um perigo ainda maior. — Ele fez uma pausa e continuou, olhando para outra direção da plateia: — O Serimundo Abílio Abelho, da fazenda dos chuchus e berinjelas, juntamente com Nadir, sua esposa maquiavélica, está envenenando os vegetais de sua própria plantação e por isso colocando nossas vidas em risco.

Houve um repentino alvoroço na copa da jabuticabeira por parte dos outros macacos e de alguns pássaros, porém o Ancião fez um único gesto com a mão e todos se calaram imediatamente.

— Infelizmente, mortes aconteceram e, por isso mesmo, não podemos ficar parados esperando a nossa vez de morrer.

Tino levantou a sua mão também, mas para pedir permissão de fala, o que lhe fora concedido pelo velho Ancião depois de uma longa e silenciosa pausa entre todos os presentes.

— O que eu vi foi tenebroso, bicharada! Esse veneno fica grudado nas folhas, nos vegetais. Desce pelas plantas e vai direto para a terra...

— E como bem sabemos — interrompeu o pintado Surubim. — A água também corre no solo e esse veneno cedo ou tarde pode chegar até nós.

— Assim como chegou ao nosso povo, então — disse Romã ainda sentado no ombro de João. — Esses Serimundos também correm grande perigo. Os animais que moram na fazenda dos pepinos foram seriamente contaminados e o nosso povo, assim como eles, também sofreu e ainda sofrem graves consequências.

— Eu mesmo vi um pato com o pescoço gigante e que ainda mudava de cor! — explicava Tino, esticando o próprio pescoço e pegando um camaleão num dos galhos próximos para ilustrar a cena.

A criatura de verde rapidamente mudou para o mesmo marrom dos pelos do macaco. O pobre camaleão só estava de passagem na tentativa de encontrar um bom lugar para participar da reunião também.

Lá do meio da multidão de animais um braço humano foi levantado erguendo a mão pequena demoradamente, como quem evitasse se expor, porém foi inevitável porque todos a olharam no mesmo instante e logo viram de quem era o dono. Sua cabeça era ruiva e as bochechas mais vermelhas do que um tomate maduro. Teodoro abaixou a mão sorrindo sem graça para todos os olhos que o fitavam, engoliu em seco, porém sentiu a importante necessidade de falar naquele momento.

— Se-seres da na-na-natureza... — Nada mal para sua primeira e importante reunião da sua vida. — Venho dizer que... que o que Tino, nosso amigo macaco, vem tentando esclarecer é a mais pura verdade, não é mesmo, vovô? — E terminou depressa se livrando de toda atenção.

O velho tomou um susto ao ouvir o neto, pigarreou e continuou pelo menino:

— Sim, sim... — Ajustou a voz para todos ouvirem bem. — Abílio Abelho é um paspalhão de primeira categoria!

E todos os sons imagináveis da floresta foram ouvidos de uma só vez. Os animais pareciam ter comemorado o gol de uma partida emocionante de futebol.

— Ele é o grande culpado por essa contaminação. Antes mesmo de me mudar para a cidade grande, vivíamos nos alfinetando porque eu sou contra o uso de qualquer pesticida ou agrotóxico nas plantações e ele ama fazer e usar venenos para plantar, há muito tempo. O que deve ter acontecido durante esse intervalo é que a potência dos venenos aumentou o efeito catastrófico aqui neste lugar. E, infelizmente, o resultado já pode ser observado. Quando o ser humano usa esses verdadeiros venenos nos vegetais, plantas e frutas, nós todos aqui corremos um grande risco de vida. Ainda não estamos doentes por não estarmos totalmente ligados à terra. Mas isso não vai durar por muito tempo. É capaz de Abílio preparar um veneno ainda mais potente do que o anterior para acabar de uma vez com todos nós. A hora de agir é agora e graças ao meu netinho, o Teodoro, foi criada uma fórmula mágica para curar os doentes. Um remédio capaz de mudar o rumo dessa história...

O barulho da bicharada ficou ainda mais alto, culminando numa verdadeira desordem. Não havia animal que não estivesse feliz com o remédio de Teodoro, mas apesar do nervosismo que envolvia cada um dos presentes, precisavam buscar uma solução eficaz contra os futuros planos de Abílio Abelho e Nadir Cadinada ou então nada avançaria. Foi no meio de toda a agitação que Teodoro levantou outra vez a mão. O Ancião franziu o cenho e rapidamente todos entenderam que aquilo era um pedido de silêncio. O menino começou:

— Eu, eu tenho a cura para diminuir os efeitos da doença, mas precisamos nos unir contra os outros venenos que podem surgir... Precisamos de vocês também...

— Mas o que nos garante que vocês humanos não farão pior depois? — indagou um dos pássaros, bastante desconfiado, lá no alto da jabuticabeira. — Não confio na palavra dos humanos.

— Esses Serimundos são diferentes de Abílio e Nadir — dizia Martelo, rodeado por todos os outros Caraimundas. — Eles não nos atacaram em nenhum momento, pelo contrário. Estão nos ajudando e nos dando a cura para toda essa doença maluca. O meu povo e eu observamos essa família durante meses até o dia em que tive a coragem de me aproximar... Não exatamente do jeito que eu queria, mas aconteceu.

— Na verdade... — falou Romã. — Sei que a comunicação entre Caraimunda e Serimundo é proibida, mas anos atrás João e eu nos tornamos grandes amigos e pude passar os segredos de uma boa plantação. Ele tinha bondade no coração e humildade para aprender. Mas com Abílio e Nadir é diferente. Eles são ruins, vaidosos e cheios de ganância.

— Eu bem que autorizei a aproximação com os Serimundos caso fosse para obtermos informações fundamentais para a manutenção de nossas vidas — disse o velho Ancião. — E através do que meus companheiros me passavam, conseguia compreender algo essencial. A bondade quando verdadeira se transforma em ação poderosa e deixa de ser meramente palavras ao vento. A nossa melhoria resultará na melhoria deles. Na natureza tudo é troca. — E emendou o ditado mais importante dos Caraimundas. — Se plantamos o bem, colhemos o bem. Se plantamos o mal, colheremos inevitavelmente o mal.

— Nós inventamos esse ditado! — disse Martelo, quando se aproximou de Teodoro. — E quem planta vento, colhe tempestade — concluiu, rindo de si mesmo, mas todo orgulhoso, apesar de Teodoro ouvir a mesma frase um milhão de vezes desde que era um bebê. Ainda assim, não disse nada, mas riu junto e bem baixinho.

— Quando nosso coração é carregado de bondade, estamos destinados a grandes feitos, então por isso precisamos armar um plano inteligente para acabar com esse mal pela raiz — continuava o Ancião dirigindo seu olhar de repente ao mestre soberbo do reino dos Paparaizes. Ele estremeceu e indagou: — Alguma sugestão?

A macacada se animou. Estavam mais do que prontos para armar qualquer peripécia, mesmo a mais cabulosa para pregar naqueles humanos mesquinhos. Pulavam, balançavam os galhos da jabuticabeira derramando uma quantidade considerável de frutas na plateia. Todos foram à loucura. Mão ali, mão aqui. As folhas que cobriam o solo da floresta de repente voavam pelos ares.

Todos os animais já não aguentavam de tanta fome e como em toda reunião havia uma pausa para o lanche, por que não naquele instante? A passarada também se divertiu. Conseguiu algumas jabuticabas antes que eles atingissem o chão, outras foram parar dentro do riacho, mas nada foi capaz de enfrentar a boca dos jacarés. Brigaram, agitando a água de um lado para o outro e voltaram à superfície com um sorriso cínico no rosto.

— ATENÇÃÃÃÃÃO! — gritou Tino outra vez.

Suas palavras foram recebidas com um silêncio pesado, como se alguém tivesse caído duro no chão e mortinho. No fim das contas, o Ancião repetiu seu gesto com as mãos e voltou a perguntar se alguém tinha algum plano para compartilhar.

Em meio ao caos dos animais e insetos, Teodoro e sua família se olhavam cheios de dúvidas na cabeça. Perto deles, os Caraimundas cochichavam de forma intensa, gesticulando, tramando algo do qual não conseguiam ouvir direito.

Certamente, uma hora ou outra o Ancião levantaria outra vez a sua mãozinha suja de terra porque agora a falação tomara conta de todos os grupos de animais e outros seres. Os jabutis conversavam entre si, assim como os tatus, as onças, os jacarés e os Pésujos na sua estranha língua. O tico-tico discutia com o sabiá a quantidade de bicadas que daria na ponta do nariz de Abílio. Do outro lado, o valente Surubim ouvia muito atento as recomendações do lambari, considerando todas as suas ideias geniais.

Tino subiu até os galhos altos da jabuticabeira e chamou a atenção de todos os macacos. Como o mais arteiro deles, criou um plano do qual precisaria da força dos outros animais. Por isso, quando eles concordaram com a mesma ideia, os macacos encerraram a discussão bem a tempo de finalmente o Ancião terminar uma casca de melão.

— Então... quem é o primeiro a sugerir um plano infalível para acabarmos de uma vez por todas com os planos de Abílio e Nadir?

Inesperadamente, João dos pepinos foi quem levantou o dedo, sem ter dito nada do que estava pensando com a sua família. Sua mão tremia de medo, sentindo recair sobre ele os olhares ansiosos de todos, inclusive o de Romã, o Caraimunda no seu ombro.

— Respeitável Ancião, se me permite...

O velhote Caraimunda, apoiado em seu cajado torcido, sentado em cima da pedra, fez que sim com a cabeça.

— Venceremos Abílio e Nadir pelo ponto fraco que eles sempre apresentaram. — Havia uma luz nos olhos de João. — Eu os conheço há bastante tempo e tenho certeza de que se fizermos exatamente da maneira que estou imaginando, isso será muito divertido.

Todos escutaram seu plano com muita atenção, guardando Tim-Tim por Tim-Tim na cabeça com a certeza de que sua estratégia mandaria aqueles dois para bem longe. Os macacos adoraram ouvi-lo falar e João acabou por deixar os Pésujos confusos no final. A língua de seu povo era muito distante do português. Por isso, uma palavra aqui, outra ali não foi compreendida. Decidiram não perguntar e assim ficou.

— Pronto! Já está decidido — disse o Ancião depois de ouvir as ideias levantadas. — Vamos encerrar a reunião!

Capítulo 17

A mensagem do Ancião e o plano que haviam conspirado se espalharam por todos os animais, insetos e criaturas da floresta ainda que todos não falassem a mesma língua. Conseguiram salvar com antecedência muitas famílias de joaninhas, gafanhotos e abelhas que se organizavam para um final de semana incrível pelas terras envenenadas de Abílio e Nadir. E como se não bastasse o suficiente de veneno, o casal tenebroso saiu do galpão naquela tarde satisfeitos com sua nova invenção diabólica.

Abílio segurava nas mãos seu pulverizador apelidado de Esmagador com um sorriso largo no rosto. A arma inspirava coragem, fazendo-o pensar que era capaz de tudo, desde matar e a controlar o mundo. Não existia nada nem ninguém com poderes para controlá-lo, pois se houvesse ainda assim não seria páreo para suas futuras maldades. Sentindo-se invencível, ocorreu-lhe de que não estava tão feliz como gostaria ainda. Precisava ver os pobres ratinhos agonizando e implorando por suas vidas imundas para se sentir completamente satisfeito. Sabia que o novo veneno tinha uma força destruidora incrível, capaz de chegar às profundezas da terra, com alcance para atravessar a floresta inteira, até o outro lado da cidade. A destruição seria em massa e pelos sorrisos do casal horripilante, dos males possíveis esse era o menor deles.

No mais alto de sua arrogância, Abílio estufara seu peito e com olhos de águia (porém um tanto embaçados) observou o ambiente calmo de sua fazenda, o balançar das folhas da plantação, ouvindo o sibilo do vento cortando a paisagem. Mais adiante, as árvores da floresta estavam muito mais agitadas como se um gigante fosse irromper das matas a qualquer instante. Porém, aquilo não o intimidou, pelo contrário, trazia-lhe mais coragem só por imaginar rapidamente que pudessem ser os animais nojentos chegando para destruir seus chuchus e berinjelas.

“Ai, ai, animais...”, pensou, “para que tantos vivem aqui e por que tantas árvores plantadas nesse espaço maravilhoso? Vou arrancar todas para minha futura plantação de abobrinhas! Mais dinheiro, mais poder. Eu sou genial!”.

A verdade era que já estavam juntando dinheiro suficiente para derrubar a floresta inteira, inclusive a casa dos seus vizinhos (sim, a casa de Teodoro). Esse último desejo era exclusivo de Nadir. Desejava seu shopping particular a todo custo, porque se fosse por Abílio, construiria uma torre onde a trancaria dentro e sumiria com a chave. Para seus vizinhos, seu plano era outro.

— Vamos, ande logo com essa geringonça! Quero ver do que ela é capaz — ordenou Nadir, balançando o ombro do odioso marido.

O homem revirou os olhos, bufou alto e se preparou para finalmente apertar o gatilho do Esmagador. Seus dedos tremiam, não porque estava nervoso, mas por causa do que estava dentro do pulverizador. A fórmula venenosa parecia pular, vibrar como mil diabinhos prestes a se soltar.

Abílio, então, esticou os braços em direção ao céu e apertou o gatilho.

— UGH UGHUGH — cantava o Esmagador, feliz da vida. Mas algo marrom atravessou raspando sua careca brilhosa de suor como um raio que rasga o breu da noite.

O homem imediatamente tirou o dedo do gatilho de sua arma preferida e olhou para cima, na tentativa assustada de ver o que teria sido aquilo. Nadir acompanhou a coisa marrom atravessá-los, entrando às pressas em sua casa.

"Não poderia ser", pensou por um milésimo de segundos, "que os ratos já estavam chegando bem ali".

Apavorou-se tateando a parede da varanda na coragem de finalmente bisbilhotar o que estava possivelmente na sua sala de estar pulando no sofá, ou na cozinha divertindo-se no lixo ou se pendurando nas cortinas.

— Abílio, Abílio — sussurrava a mulher, cutucando o marido. — Um rato acabou de entrar em nossa casa. Acho que é melhor virar essa coisa lá para dentro.

Abílio arregalou os olhos, assustado. Suas mãos tremiam, mas não deu para trás. Entrou em casa, pé ante pé. Nadir o seguia espiando por cima dos seus ombros e a cada canto o Esmagador se preparava para pulverizar o suposto animal asqueroso. Depois de muito averiguar, nenhum rato foi encontrado empertigado no sofá ou tentando abrir a geladeira. Nem sequer tomando banho na pia do banheiro ou assistindo tevê no seu quarto.

Vasculharam até pelo teto, debaixo dos móveis (onde só encontravam teias de aranha e poeira acumulada). Quando já se sentiam cansados de procurar, a lareira estalou fazendo os dois pularem de susto. Justo onde haviam se esquecido de olhar. Os barulhos se repetiam e seus pulinhos de susto também. Paft! Paft! Paft!

Cada vez que se aproximavam mais do buraco escuro da lareira, detritos pretos acumulados de fogueiras passadas escorregavam até caírem lá debaixo, como se algo bem grande estivesse descendo pela chaminé. Esperaram para ver se algo aparecia daquela sujeira com os corações em rápido compasso. Um pesado silêncio se acercou da casa quando por fim viram a poeira preta abaixar. Não enxergaram nenhuma ninhada de ratos enfurecidos, mas conseguiram ver inexplicavelmente um macaco-prego sujo de carvão se atirar para cima deles.

Era Tino, o maior arteiro das matas! E ele foi tão ágil quanto Abílio ou Nadir. O Esmagador voou das mãos do seu usuário predileto, quicando, sambando pelo chão, vibrando com a força dos mil demônios enfurecidos, comprimidos dentro dele. Foi parar próximo da porta de entrada. Abílio lutou com toda sua força, tentando puxar o macaco agarrado em seu rosto.

Tino tinha milhares de cartas na manga e por isso mesmo não havia outro senão ele que pudesse ser o primeiro a atacar aqueles humanos pavorosos. E por isso, desceram seus irmãos, primos, pai e mãe para a guerra também. Seus irmãos menores só estavam acompanhando os mais velhos porque prometeram a eles muita diversão e bagunça na casa dos humanos. Então, sedentos por tudo que havia sido prometido, atropelaram Nadir na chegada.

Um, dois, três, quatro, cinco macaquinhos conseguiram invadir a sala correndo pelos móveis aos berros, desvairados.

Ao mesmo tempo em que se coçavam desesperadamente espalhando suas pulgas pelo chão, abriam a geladeira e atiravam potes de iogurte, manteiga e ovos para todos os lados. Arremessavam as cenouras que encontravam, as frutas da fruteira destruíam todas. Provável que estivessem estragas por dentro porque o cheiro não era lá muito bom.

Lica, sua irmã mais nova, foi se aventurar em cima da pia da cozinha e viu alguns pratos coloridos secando. Foi irresistível espiá-los parados em silêncio. Pegou o primeiro e atirou para longe fazendo um barulho alto e divertido. Gostou do que viu, comemorando aos berros e pulos de alegria. Tentou com outro e foi mais divertido ainda. Em poucos minutos, mais três macaquinhos se juntaram e abriram todos os armários.

Unidos pela algazarra, atiravam pratos e talheres para todos os lados. Nadir olhava a cena boquiaberta. Alguns pratos voaram bem em sua direção. Conseguiram virar panelas, quebrar as xícaras de chá. Penduravam-se nas cortinas e rodopiavam agarrados ao ventilador de teto da sala.

Quando ela tentou pular para capturar um deles, sua atenção se voltou a um barulho ainda mais estranho surgindo das janelas da casa. Por todas aquelas que deixara aberta, um verdadeiro batalhão de pássaros de todas as cores se espremia para participar do contra-ataque aos fazendeiros de chuchus e berinjelas. Foi tanto o tumulto de asas que acabaram por fechar as janelas sem querer, sem na verdade ter adivinhado que o plano de Abílio e Nadir era pular por uma delas. Mas restava a porta aberta e era hora de fugir o quanto antes.

Capítulo 18

O escabroso casal estava em apuros e a mulher foi a única que não demorou a encontrar saída para aquela confusão. Abílio lutava com todas as suas forças para se livrar o quanto antes do macaco grudado em seu rosto, mas não se importava nem um pouco com a segurança de Nadir. Queria mais era que ela mesma se livrasse logo daquela situação antes que pudesse ficar pior.

A porta aberta a convidava enquanto os animais chegavam aos tropeços por todas as entradas possíveis, jogando tudo o que estava no chão para o alto e tudo o que estava no alto para o chão. Então, preparou-se para correr o mais rápido que podia, munida da fúria que subia à cabeça. De repente, e tomando um grande susto, a porta foi fechada rapidamente por uma mão pequena e ágil num baque estrondoso.

As paredes tremeram, os vidros das janelas vibraram e em meio à confusão de barulhos diversos, Nadir lembrou que aquela mão só poderia ter sido de uma pessoa... e de uma criança, Teodoro. Ela estava começando a entender. Arrastou a cortina da janela perto da porta e viu a família dos vizinhos reunida do lado de fora tentando trancá-los lá dentro. Depois, ela abriu a boca e furiosa exclamou:

— É UM GOLPE! VOCÊS IRÃO PAGAR CARO POR ISSO! VÃO PAGAR...

Mas ninguém os ouvia bem, muito menos João dos pepinos do outro lado do vidro.

Tino saltou do rosto engordurado de Abílio dando pulinhos ao atingir o chão. Passou por cobras, jabutis, onças, pássaros e uma porção de formigas e besouros. Enquanto ele corria, tentava não pisar em ninguém. Virou-se para a cozinha encontrando alguns dos seus irmãos mais novos, comandando a pior das bagunças. Então, percebeu assim que chegou o quanto tinha para brincar naquele lugar. Pulou na pia e com a ajuda de sua irmãzinha, a Lica, abriu a torneira.

— O que aquele macaco maluco vai fazer? — gritou Abílio.

Usando a mão para a pontaria, esguichou água em todas as direções, inclusive para os que estavam se divertindo no chão. Alguns dos outros macacos abriam suas bocas e esfregavam até os sovacos, aproveitando o banho inesperado.

Não era todo o dia que os animais entravam na casa dos humanos, ainda que os humanos se sentissem à vontade para entrar na deles todos os dias sem um pingo de respeito ou cuidado. Derrubavam árvores, comiam exageradamente dos seus frutos, matavam e tomavam para si tudo o que não lhes pertencia. A bagunça planejada pelos animais não se comparava ao estrago dos homens na natureza, muito menos ao aniquilamento de outros animais. Era um aviso para que nunca mais se esquecessem de que a natureza merece seu devido respeito.

— É o fim! É o fim! Estamos fritos! — gritava Abílio, levando boas mordidas de formiga nas pernas.

Do lado de fora da casa, Graça terminava de trancar todas as janelas, Augustos forçava a maçaneta da porta para ninguém sair, Teodoro e João se certificavam de que tudo estava seguindo o planejado. E não demorou muito para Abílio e Nadir iniciarem suas desesperadas tentativas de fuga, chutando a porta, batendo nas paredes, forçando a trinca das janelas. Berrando diante do vidro agora embaçado, Nadir gesticulava com suas mãos e braços feito palitos enquanto Abílio soltava palavrões feios pelo seu ombro.

O homem abria a boca feito um cão raivoso, faltava babar de raiva. Mas Teodoro não se intimidou com as possíveis ofensas inaudíveis dirigidas por detrás do vidro da janela a ele e por isso fez caretas pondo a língua para fora. Funcionou como um tiro à queima-roupa, pois os dois terríveis adultos se desequilibraram, pararam de falar por alguns instantes e amarraram a cara como nunca tinham amarrado.

— Moleque atrevido, Abílio! Veja só, estão ZOMBANDO DE NÓS! — dizia Nadir aos berros. — ELES ARMARAM UMA ARMADILHA e agora ESTÃO RINDO DA NOSSA CARA!

Abílio tentou quebrar a trinca da janela forçando ao máximo por dentro, porém João se apressou para que eles não pudessem escapar. Como numa luta de braços, os dois homens usavam suas forças o tanto que podiam, mas João era muito mais velho, fraco e frágil para qualquer batalha naquele momento. Por outro lado, achou super engraçado as caretas do neto e imaginando perder as forças que lhe faltavam, lutou para que seus olhos se desviassem da cena. Entretanto, não conseguiu e acabou por soltar uma de suas risadas engraçadas e diferentes, daquelas que fazem todos rirem também.

— RIF RIF HÁ HÁHÁHÁ RIF RIF!

E foi só se alongando e alongando...

— RIF RIF HÁ HÁHÁHÁHÁHÁHÁHÁ RIF RIFRIF HÁ HÁHÁHÁ...

E aumentando de volume...

— RIF RIFRIF HÁ HÁHÁHÁHÁ RIF RIFRIF HÁ HÁHÁHÁHÁHÁHÁ...

Os dedos de salsicha de Abílio escorregaram pela fresta que ia se formando aos poucos por baixo. Usando o que ainda restava de esforço, conseguiu puxar a janela para cima numa velocidade incontrolável, assustando todos quando a vidraça quebrou num daqueles barulhos de acelerar o coração ao máximo. O velho se desequilibrou para trás, caindo de bunda no chão ainda sem parar de rir do neto.

— RIF RIF HÁ HÁHÁ. Já podem me enterrar porque já vi tudo o que eu queria ver na vida. RIF RIF HÁ HÁHÁHÁHÁ...

Abílio esforçou-se para sair primeiro pela janela aberta. Ao mesmo tempo, Nadir se espremeu e ninguém conseguiu passar pelo buraco. Contorciam-se e gemiam. De dentro da casa, a bicharada viu o que acontecia e nesse mesmo instante uniram-se numa força tarefa para devolverem os dois à sala de estar. Os macacos fizeram uma corrente de braços, a onça puxava o rabo de um deles com a boca, os tatus puxavam a calda da onça e os pássaros bicavam suas cabeças.

— Eles vão sair! — avisou Tino, chamando os que restavam ajudar. — Puxem o máximo que puderem. Vamos!

Puxaram, puxaram, puxaram, mas a dupla não voltava.

— Deixem-nos saaaair! — Tentava Abílio, faltando-lhe ar para respirar. — Eu vou acabar com a sua fazenda... haaa...

Seu velhaco... empoeirado de museu! Sua fazenda será minha... haaa... A ainda ganharei muito dinheiro às suas custas... — Terminou com as bochechas roxas.

De repente, sentiram a terra aos seus pés tremer como se um enorme dragão fosse irromper das profundezas a qualquer instante. Conforme os animais dentro da casa conseguiam puxar o casal horrendo, com o tremor foi mais fácil e todos foram parar no chão ao mesmo tempo.

Os macacos se embolaram num nó complicado de desfazer, a onça ficou por cima do tatu, o tatu por cima da cobra e a passarada procurou logo um canto para se empoleirar. A coisa era violenta e se mexia rapidamente de um lado para o outro. O chão da sala inflava e desinflava assustadoramente numa trovoada de barulhos curiosos. Teria ali a pior de todas as pragas a serem enfrentadas?

Pelo visto, não parecia nada, nada a qualquer coisa pequena e amigável. O pavor tomou-lhes por inteiro porque até mesmo os animais cessaram a bagunça e esperavam ansiosos pelo o que estava por acontecer. Teodoro também sentiu a terra tremer, por isso em poucos minutos avô e neto estavam agarrados um ao outro e Graça correu para os braços de Augusto.

Ainda na sala, por entre as madeiras encaixadas do assoalho surgiam pequenas flores brancas iluminadas como o sol. Eles piscaram os olhos e surgiram outras vinte e tantas. Piscaram outra vez e examinaram a sala com mais de cem flores resplandecentes formando um lindo campo florido dentro de casa. Abílio agora coçava efusivamente os olhos com as duas mãos para que por fim desse conta de que tudo passava de uma cena real. Via um jardim de rosas brancas, brilhante e prontinho em menos de um minuto, bem diante deles.

— Um jardim debaixo de nossos pés, Nadir — sussurrou Abílio, desconfiado, mas rapidamente mudando seu tom de voz. — Vamos ganhar muito dinheiro com elas. Veja como são diferentes e resplandecem como um abajur.

— Parecem raras — dizia Nadir deslumbrada. Seus olhos também brilhavam. — Nenhuma praga conseguiu tempo para almoçá-las.

Ela se endireitou esticando o braço comprido até uma das florzinhas. Estava ela prestes a arrancar uma para ver na palma da mão quando assombrosamente uma das tábuas pulou do chão a uns dois metros de altura libertando uma frente de soldados minúsculos e sujos de terra.

Montados em tatus-bola e nos seus gongolos gigantes, os Caraimundas saíram da terra bradando furiosos, partindo cheios de coragem para enfrentar seus maiores inimigos, Nadir e Abílio Abelho. Pegos de surpresa, os dois fazendeiros fedorentos chutaram cerca de uns dez bravos Caraimundas como se fossem bolas de futebol.

A sorte das criaturas era que puderam ao longe contar com o sofá fofinho aguardando a queda momentânea. Logo estariam prontos para outro ataque. Enquanto isso, mais Caraimundas surgiam por debaixo do chão como num enxame de abelhas. Arremessavam bolas de lama fedorenta nos cabelos de Nadir, bombardeavam Abílio bem na ponta do nariz. Eles eram bons de mira e bradavam palavras como "horríveis", "catinguentos" e frases como "toma essa, seus Serimundos feios!".

Aquilo foi de amargar o pavoroso casal. Logo, os ataques vinham de todos os lados e sem descanso para limparem a sujeira do rosto. Lutando para se levantar, Nadir usou seus braços de palito e num impulso rápido conseguiu o que tanto queria, tomada de puro ódio e muito nojo. Em pé era mais fácil de esmagá-los. Chutou um, dois e arremessou o terceiro para longe.

— O que são essas coisas, Abílio?! — perguntou, com a voz tremida de horror.

O homem conseguiu se levantar também a muito custo, pois os guerreiros Caraimundas o espetavam com agulhas de crochê, arranhavam-no com garfos e beliscavam suas pernas. Quando, por fim, equilibrou-se e olhou para baixo, mirou os pestinhas. Seus pés estalavam alto no chão, porém, como raios, os Caraimundas se esquivavam. Um baque, baque, baque, baque atrás do outro. O homem apertava a língua entre os dentes, lama escorria por sua testa. Do seu lado, Nadir fazia o mesmo, mas também não acertava um.

— Malditos! São piores do que ratos! — gritava Abílio, ofegante.

Martelo era um dos guerreiros corajosos. Filiou-se aos melhores soldados do Ancião. Portava entre os dedos apertados uma agulha de costura bem fina e reluzente. Desviava dos ataques da megera mulher, rodeava Abílio e esperava a hora certa para atacar. Apertava a agulha com vontade na perna do gigante de cara amarrada e o ouvia gritar e se enfurecer ainda mais. Corria para recuperar o fôlego, porém quando ia se afastando, por muito pouco não fora pisoteado por Nadir.

Ao mesmo tempo em que ela conseguia escapar das novas bombas de lama, Martelo avançava outra vez aproveitando o descuido dela para cravar a espada em seu pé. Apesar da sandália que a mulher usava, seus dedos estavam à vista e por isso mesmo foi que Martelo aproveitou para golpeá-la. Teodoro assistia à cena temeroso, fechando até os olhos a intervalos rápidos para evitar olhar, caso o amigo fosse pego. O ataque estava nos planos do seu avô, mas nem tudo sairia de acordo com o esperado. Tudo podia ir por água abaixo. Seu coração pulava no peito em puro desespero.

— CUIDADO, MARTELO! — gritava Teodoro, em vão.

Para cada ataque de Martelo um pulo era dado por Abílio ou Nadir. O Caraimunda, amigo de Teodoro, tinha muita força nas mãos, então seus golpes doíam intensamente, mas o que nenhum Caraimunda ou animal esperava era que, com todos esses pulos, Nadir alcançasse aos poucos o Matador mais uma vez no chão e o erguesse no ar disposta a usá-lo.

Assim que seus dedos tocaram no gatilho, Tino voara para buscá-lo, jogando-o para bem longe. Os animais vibraram quando viram o ato heroico e o ódio estampado no rosto de Nadir. Bastou o Matador atingir o chão para que a multidão de formigas e outros tantos insetos o tomassem por inteiro. Apavorado, Abílio não ousou chegar mais perto naquele momento. Em poucos minutos, os insetos haviam suspendido o objeto do chão, levando-o para outro lugar que fosse longe dali. Mas não demorou muito e o homem se armou da sua coragem que vinha com a cólera. Partiu para cima das criaturas como uma onda que vai de encontro com as pedras. Sem dó, conseguiu esmagar besouros, minhocas e formigas que lutavam bravamente.

— Devolvam-me isso, já!

Mas antes que Abílio pudesse colocar suas mãos no Matador, Martelo se pôs na frente do homem, arfando e mostrando sua espada que brilhava à luz do sol. Apesar do seu tamanho, Martelo mostrava a fúria de um búfalo prestes a golpear seu inimigo. Preparou-se, então apertando a agulha na mão e correu feito um raio na direção de Abílio. O homem deu dois passos até o Caraimunda, subiu a perna no ar e estalou seu pé tamanho quarenta e três na madeira do assoalho. Levantou-o outra vez e não viu nada esmagado como esperava. Só conseguiu identificar onde a criatura estava realmente quando sentiu uma dor alucinante vinda do seu calcanhar esquerdo.

— Criatura dos infernooos! — gritou Abílio, pulando com as mãos segurando o pé dolorido.

Lá do outro lado, Tino pulava em Nadir, puxava sua orelha, enquanto outros Caraimundas montados em pássaros atingiam com armas as bochechas murchas da mulher. Ela não conseguia sair do lugar para ajudar Abílio com o pulverizador e por isso Martelo aproveitava para continuar o seu ataque. Com movimentos rápidos, golpeava o homem na perna, desvencilhando rapidamente das suas investidas brutais. Com a ajuda de um dos seus irmãos, montado num sabiá-laranjeira, Martelo conseguiu carona até a careca oleosa de Abílio, mas escorregou até a gola de sua camisa, por fim segurando seu pescoço grosso.

— Saia de cima de mim! Saia de cima de mim! — repetia ele, enquanto seus braços tentavam em vão capturá-lo.

Torcia e se retorcia no terrível esforço de se livrar de Martelo o quanto antes. Um a um, os Caraimundas começavam a atacar o homem também arranhando sua testa, atingindo-o em cheio com suas bolas de lama fedida, mirando em pleno voo e rasante o seu alvo principal.

Teodoro apertava as mãos de encontro ao vidro da janela, embaçando-o toda vez que tentava avisar seus amigos do perigo de serem atingidos por um dos fazendeiros terríveis. Acompanhava com os olhos atentos todos os movimentos de Martelo, todos os giros e piruetas de Tino e os ataques realizados pelos Caraimundas fosse no chão ou no ar, enquanto a bicharada restante revirava a casa de cabeça para baixo numa festa improvisada.

— VAI, MARTELO! — Torcia ele. — CUIDADO! Abaixa a cabeça! Parte para cima dele! Não deixa ele te pegar!

Teodoro estava desesperado. Tremia da pontinha do fio dos seus cabelos até a pontinha do dedão do pé. Desejou entrar na casa também, mas João o impediu, visto que nos planos entrar estava fora de quesito. Era perigoso demais e todo o combinado anteriormente transcorria muito bem. Qualquer fator de mudança acarretaria o fracasso da missão. Nada poderia dar errado, não agora. Por isso, foi abrigado a assistir até que as coisas saíssem do controle ou do que estava combinado. Ora ou outra, quando tudo parecia insuportável de olhar, ele tapava os olhos.

— Não deixe que peguem você, Martelo! Não deixe...

Tino não desistia de Nadir. Beliscava seus braços, suas pernas, sua barriga, pulava em seus ombros, puxava seus cabelos, isso porque a mulher conseguira capturar um dos pássaros apertando o animal entre os dedos. Não queria soltar, mas quando fez foi porque a onça rugiu estremecendo todo seu corpo, empalidecendo-a, transformando Nadir numa vela de cera. Só não caiu para trás por conta dos ataques que não cessavam por nada. Vinham do chão e lá do alto por parte dos outros pássaros.

Por outro lado, os insetos começavam a bater em retirada. Já tinham perdido muitos do seu povo. Os Caraimundas cuidavam dos feridos, mas infelizmente nenhum outro estava mais com Martelo. Sozinho enfrentava Abílio em sua fúria fatal, rebolando de um lado para o outro, sentindo Martelo agora escorregar por dentro de sua roupa. Teodoro não desgrudava os olhos do amigo forçando o pensamento a acreditar que ele estava quase conseguindo concluir toda a missão com sucesso.

Abílio suava de ficar aos pingos. Quanto mais tentava tirar Martelo de dentro de suas vestes, mais ridículo parecia. Seus sovacos escorregavam de suor e só não embolou os pés um no outro porque, de repente, ele apertara a criatura entre sua camisa e sua mão. Puxou-o de lá de dentro, Teodoro gritou o nome do Caraimunda. Dentro da casa, a criatura urrou de dor até que os dedos de Abílio ganhassem mais força a ponto de impedi-lo de gritar outra vez.

— Enfim, peguei você! — disse o homem, fitando Martelo com olhos cheios de fúria. — O que é você?! — Estranhou Abílio, sentindo curiosidade e nojo ao mesmo tempo.

Mas Martelo viu tudo girar, o ar faltar e tudo o que lembrou pela última vez foi do maligno sorriso daquele homem repulsivo.

Capítulo 19

Martelo fechou os olhos e foi lançado para longe completamente desacordado. Pela rapidez de Tino, ele não atingira o chão, sendo capturado ainda no ar por suas patas dianteiras. Não podia ser, pensava o animal antes de entender exatamente o que havia acontecido, mas o nervosismo dentro dele foi ganhando potência até que atingira seus olhos com lágrimas. Pôs o amigo deitado à sua frente, balançando-o a fim de acordá-lo. E nada.

— Acorde, Martelo, precisamos de você! — implorava o macaco, com as patas trêmulas.

Logo, outros Caraimundas se aproximaram espantados, tapando as bocas, apertando seus olhos molhados. Procuraram despertá-lo gritando seu nome, balançando seu corpo, mas nenhuma resposta era dada por Martelo. Continuou em silêncio, com os olhos cerrados, deitado no chão. Outros tantos guerreiros de seu povo deram continuidade ao ataque contra Abílio, sem grande sucesso, pois o homem era forte, grande e estava embebido de toda a raiva do mundo.

— Não vamos conseguir concluir o plano, meus amigos, não vamos conseguir — dizia um dos Caraimundas que se aglomerava ao redor de Martelo. — Vamos voltar para a nossa vida pacata e morrer sossegados.

— Não diga bobagens, Azeite! — interrompeu Canela, outro Caraimunda, um tanto mais velho. — Não voltaremos coisa nenhuma. Se tivermos de morrer, morreremos lutando pelo nosso povo. Ou lutamos ou morremos, você escolhe.

— Não podemos deixar esses genocidas vencerem. Nosso povo merece saúde e vida próspera — disse outra, dessa vez uma fêmea chamada de Uva. — Desde quando aceitamos morrer ao invés de lutar? Todos nós estamos tristes, por isso temos motivos suficientes para vencermos essa batalha. Honre os mortos ao menos, Azeite!

Mas não havia ninguém mais triste do que Teodoro. Não suportou olhar aquela cena sem fazer absolutamente nada. Batia no vidro a ponto de trincá-lo, mas João o afastou para protegê-lo caso conseguisse quebrar o restante. Suas lágrimas foram inevitáveis. Sentiu os braços carinhosos do avô sustentando sua tristeza, consolando também sua impotência diante do que havia acontecido.

Com o rosto vermelho de tanto soluçar, os olhos inundados em lágrimas, não olhou mais a guerra que acontecia dentro da casa. Sentou-se devagar na grama ali pertinho e escondeu o rosto nas mãos, sua barriga num vai e vem sem parar. Graça correu até ele, chegando com abraço e beijo. Augustos não conseguiu sair de onde estava, apesar de querer fazer o mesmo.

— Meu amigo, mamãe... Meu amigo Martelo... — Tentava falar Teodoro. — Ele não pode ter morrido, não pode... Ele é muito pequenininho... Não merecia tanta dor.

— Eu sei, meu filho, bem sei. — Graça o apertou com os braços, passando suas mãos pelas bochechas da criança para deter suas lágrimas. — Vai ficar tudo bem.

Eles ficaram tão desorientados a princípio que não perceberam quando Abílio furou o bloqueio de mais de cinquenta Caraimundas na sala e conseguiu pegar seu Matador preferido, o pulverizador de mil demônios. Então, ele olhou para o alto e viu que estava longe de ser atingido por outro pássaro. Aproveitou a oportunidade, as formigas subindo por sua calça, apertou o gatilho do Matador com toda sua vontade, a sensação de alegria e vitória lhe percorrendo o corpo todo.

— UGH UGHUGH — fez o pulverizador e o veneno se espalhou por todos os cantos.

Os animais tossiram, correram para o segundo andar. Os pássaros bateram nas janelas fazendo com que a atenção de Graça e João fosse alertada outra vez para dentro da casa. A festa havia terminado. Viram Abílio sorrindo como um louco, apertando aquele seu pulverizador da morte.

— Rápido, amor — pediu Augustos —, ajude-me aqui com as janelas. Abílio está espirrando seu veneno lá dentro! Vamos, papai!

Agitou-se, então, Graça com a voz ainda embargada pelo filho.

Rápidos, subiram as janelas, Augustos soltou a porta para ajudar a esposa, João abriu mais de três soltando diversos pássaros que voaram sem parar em direção às matas. Os demais animais saíam vacilantes, alguns desmaiaram no caminho para a floresta. Atropelavam-se na saída em desespero coletivo. Os macacos pularam fora, os tatus, as onças e milhares de insetos diferentes também passavam pelas janelas abertas.

Parecendo prever um ataque como esse, os Caraimundas providenciaram aos guerreiros uma máscara feita da folha das árvores para usarem nessa urgência. Colocaram-nas às pressas tapando a boca e o nariz. Viram a fumaça negra pairar sob suas cabeças, mas logo caíram, esparramando-se por todo o chão. Não suportaram, então desceram terra abaixo, sumindo e levando junto os que estavam feridos. Martelo foi transferido com escolta até um dos túneis seguros contra a ação rápida do veneno.

— CORRAM, O VENENO SE APROXIMA! — Ouviram um dos Caraimundas gritar atrás deles.

Por isso, não pararam e seguiram em frente. Certamente, o veneno chegaria até a aldeia Caraimunda, tomando os túneis, intoxicando tudo e todos. Jamais comeriam milho ou veriam outra vez o esplendor das luzes que viam pelos buracos na terra. Tudo chegaria ao fim, assim como para muitos animais da floresta. Correram até cansarem os pés. Não suportavam mais quando por fim se abrigaram no término de um dos grandes túneis do povo Caraimunda.

As criaturinhas se olhavam desesperançadas, com os olhos amendoados embaçados de emoção. Foi quando abraçaram uns aos outros, compreendendo que aquele seria o fim e que a vida era um sopro no tempo. Outra vez, era o homem ganancioso agindo contra a natureza de maneira ignorante.

Aqueles que ainda não tinham chegado ao término do túnel durante a ansiosa debandada cambaleavam agora temendo o pior. Foi inevitável não encontrarem o chão em vista das pernas começarem a tremer. E em poucos minutos foram tomados de uma forte tontura. Subitamente, tudo se tornou ainda mais escuro e frio do que o normal. Lá em cima, os outros animais continuavam a sair da casa e foi nesse momento que Teodoro, ajudando seus pais, viu Tino e sua grande família fugirem vacilantes até que ele tropeçou também nas pernas e não levantou mais. Tino estava desacordado.

Por fim, aliviada por não ser mais importunada por nenhuma criatura, Nadir ria aos berros observando atenta, com brilho nos olhos, a fumaça venenosa ganhar todos os espaços da sua sala de estar e por, principalmente, ver a quantidade de atingidos pela força pulverizadora do terrível Matador.

Cada cantinho era preenchido de fumaça, até pelo menor dos buraquinhos ela entrava. Aqui e ali, esparramando-se, alcançando a todos. Abílio também ria cheio de satisfação com a certeza de que agora sim ganharia o dinheiro que tanto sonhou na vida. Era um veneno e tanto. Faria fama e riqueza em todo país e se duvidar, no planeta inteiro. Só o cheiro não era bom. Talvez mexesse um pouco na sua composição para resolver esse problema.

O fedor de ovo podre acabou chegando ao nariz de Teodoro no mesmo momento em que também chegou para os demais seres humanos envolvidos na confusão. Os olhos da criança iniciaram um lacrimejar desagradável, a ponta dos seus dedos formigava, sua cabeça começava a doer e o estômago embrulhava severamente. Ninguém ficou isento dos sintomas, principalmente Abílio e Nadir que corriam agora para sair por uma das janelas também.

João, tossindo bastante, conseguiu enxergar os dois na sua tentativa desesperada de fuga, porém, não se opôs. Já era hora de terminar o susto planejado. Só esperava do fundo do seu coração que o terrível casal tivesse aprendido a lição, esquecendo de envenenar os animais e a natureza para sempre. Mas ele não sabia dos verdadeiros objetivos de Abílio e Nadir para expandir a produção do novo veneno mortal e ganhar rios de dinheiro.

Ouviram outro barulho estranho ao longe. A terra tremeu outra vez, o Matador rolou pelo chão e quem estava em pé logo caiu. Nadir soluçou alto quando viu tudo estremecer e a casa ranger por inteira. As janelas se espatifaram como se uma bomba poderosa tivesse explodido lá dentro. Os cacos de vidro foram cuspidos para longe fazendo com que João, Teodoro, Graça e Augustos pusessem seus braços em frente ao rosto para se protegerem rapidamente. Atrás deles, isso era, vindo da direção da floresta, outro estouro os chamou a atenção.

Uma enorme cortina de fumaça se formou diante deles. E foram petrificados pela cena impressionante durante alguns minutos, até que a poeira abaixasse revelando uma fila horizontal feita por outros seres minúsculos, mas com pés enormes e peludos, a pele levemente esverdeada. Não eram Caraimundas, nem os Paparaizes. Apresentavam um rosto carrancudo, dentes protuberantes e afiados como os de uma onça. Eram os Pésujos, inimigos ferrenhos do povo Caraimunda, aparecendo para se unir aos demais, apesar de não terem sido incluídos naquela parte do plano.

Teodoro já não estava entendendo mais nada e João começava a ficar bastante preocupado. Ainda que fossem considerados inimigos dos Caraimundas, eles também eram parte do povo da terra e foram chamados a participarem da reunião com o Ancião. Enquanto estivessem em perigo, até porque muitos do seu povo sofreram com a doença propagada pelos venenos de Abílio e Nadir, estavam do mesmo lado no campo de batalha.

Ao darem seus primeiros passos em direção à casa, prepararam-se com os braços dados uns aos outros numa corrente forte e comprida, ao mesmo tempo em que davam início a uma dança típica de guerra aprendida há milênios, passada de geração em geração por seus antepassados. Batiam os pés levantando poeira numa cadência de arrepiar, balançando seus corpos unidos de um lado para o outro demonstrando aos inimigos que não estavam ali para brincadeiras. Eram fortes, unidos e jamais sairiam derrotados de um confronto. Bradavam coisas ininteligíveis na sua língua grosseira. Não falavam *toguês*, muito menos português. João ligou as pontas.

— Eles não nos entendem, Teodoro. Isso não estava em nossos planos... — dizia o velho sem saber para onde ir. — Por isso estão aqui. Não entenderam nada do que estávamos falando na reunião!

Teodoro não conseguia responder, porém entendeu perfeitamente o que estava prestes a acontecer. E claro, realmente não havia nada daquilo no plano. Sabia que eles chegavam para salvar os Caraimundas e os animais da floresta, por isso mesmo não os temeu a ponto de querer fugir em desespero. Porém, eram de botar medo no mais corajoso dos homens. Aproximando-se, mostravam seus dentes, batiam seus pezões e cantava uma canção mais ou menos assim:

"UHA GRRR HÁ HAAA HÁ
UHA GERRR HÁ HAAA HÁ
UHA GERRR HÁ AAAA HA".

E continuavam com caretas, a boca cheia de dentes afiados à mostra, os corpos em movimentos constantes. Em outro minuto, abriam os olhos amarelos, botavam seus queixos para frente, encurvavam-se feito velhos. Logo depois, metiam a língua para fora, estufavam os peitos aumentando a velocidade e a força das batidas no chão. Então, outra vez foi surgindo a espessa fumaça de poeira no ar.

Teodoro abraçava o avô, Graça fez o mesmo com Augustos e juntos foram dando passos para trás até que por fim deram de costas com a casa de Abílio e Nadir. Espremeram-se ali o quanto podiam e quando acharam que o ataque por um momento pudesse sobrar para eles, a porta da casa foi aberta abruptamente lançando para fora o casal desprezível dos fazendeiros que eram o alvo principal da missão dos Pésujos.

— Preciso de ar! — gritava Nadir, entre soluços.

Enquanto isso, o veneno terminava de se espalhar por todos os cômodos da casa, exalando seu odor tenebroso de ovo podre e de tudo que fosse azedo e bolorento. Abílio tossia com as bochechas vermelhas e só foi parar quando por fim fitou sua plantação à frente, totalmente destruída, pisoteada. O motivo não sabia bem, mas aos poucos foi conseguindo enxergar as estranhas criaturas se aproximando cada vez mais depressa, urrando coisas estranhas, unidas para acabar com a sua fazenda. Ele segurou o ombro da mulher, tremendo de medo.

— O que são eles agora, Nadir?! — indagou, gemendo. — Isso é um filme de terror! — E acompanharam as criaturas batendo seus pezões, estremecendo tudo ao redor.

— UHA GERRR HÁ HAAA HÁ... UHA GERRR HÁ HAAA HÁ.

Não conseguiram voltar para dentro outra vez, devido ao veneno que se alastrara por completo. Olharam para os lados, mas só o que conseguiam ver eram feras terríveis, de dentes afiados, olhares ameaçadores; tipo daqueles monstros prestes a abocanhar a sua vítima. Não eram os únicos contra a parede. Seus inimigos, os vizinhos que armaram o golpe, estavam ali também, prestes a serem derrotados como eles.

No fundo, no fundo, sentiam-se vingados também.

— Seu velho tonto! — disse Abílio entredentes para João dos Pepinos. — Acabei de inventar a arma mais poderosa contra esses animais e esses insetos desprezíveis que atrapalham a minha fazenda. Vocês pagarão caro por todo esse prejuízo, custe o que custar.

— Você não muda mesmo, Abílio — respondeu Augustos sem esperar a resposta do pai. — Não adianta a sua ira contra todos nós. Você pagará pelo seu próprio erro.

— Escute aqui! — dizia Nadir, ao mesmo tempo em que evitava se expor às criaturas vorazes que se aproximavam. — Esqueçam a casa de vocês de hoje em diante. Teremos dinheiro suficiente para transformar aquela palhoça em shopping. E... e nenhum bicho como esse vai nos vencer... Jamais! Jamais!

— Temos o veneno mais poderoso do mundo e não vamos deixar de usá-lo contra todos vocês!

Abílio sentiu algo lhe empurrar pelos joelhos quando enfim uma multidão de Pésujos agarraram suas pernas, apertaram seus braços e derrubaram-no no chão. Nadir tentou pular alguns, mas foi pega repentinamente por outro grupo que rosnava e babava. Fizeram o mesmo com suas pernas e braços, prendendo-os com uma espécie de corda verde bem forte e não ligaram nem um pouco para a birra que fizeram. Os Pésujos eram muito mais fortes e violentos.

— HAAAAAAAAAAAAAAAAAAAAAAAAAAAAA! — gritava Abílio.

— HAAAAAAAAAAAAAAAAAAAAAAAAAAAAAA! — berrava Nadir.

Capítulo 20

Finalmente, imobilizados e sem possibilidades de escapar, Nadir e Abílio tentaram ainda espernear, gritando aos berros por uma ajuda. Com os pulsos presos, as pernas igualmente amarradas, não tinham a mínima capacidade de se defenderem das criaturas que os levavam usando toda força e habilidade. Quanto mais os dois lutavam para se livrar, mais distantes da fazenda ficavam. As mãos ágeis dos Pésujos faziam cócegas em seus pescoços, nas costelas e no bumbum. Corriam pelos seus corpos como uma onda feroz, sem enormes dificuldades, apesar do peso de Abílio.

Mais à frente, Nadir começava a notar uma abrupta mudança na paisagem. Ao invés de nuvens brancas e céu azul, olhava agora uma imensidão de folhas verdes passarem rapidamente por seus olhos. O sol penetrava por entre uma e outra como que para espiar a grande confusão. Por onde passavam, deixavam uma fumaça de poeira densa para trás e por isso mesmo ficou impossível saber para onde eles estavam indo exatamente.

Aquilo deixou a mulher ainda mais desesperada. Seu medo piorou quando começou a sentir frio, um clima totalmente diferente daquele que sentia na fazenda. Quicavam de vez em quando, sentiam solavancos fortes, arrastavam o ombro no chão por alguns momentos, mas os Pésujos não paravam. Para cima e para baixo, para cima e para baixo. Nadir queria vomitar.

— Para onde estamos indo, espinafre azedo?! — indagava Abílio, choramingando.

— Eu quero a minha mãããããe! — Nadir gritou abrindo sua boca enorme e cheia de dentes.

E falando em "boca cheia de dentes"... Chegaram num determinado trajeto em que as criaturas esverdeadas diminuíram sua velocidade denunciando que talvez já estivessem próximos do local onde os deixariam em paz. Mas, imediatamente, seus sentidos foram surpreendidos por uma forte brisa gelada, que de primeira lhes parecia um sopro divino diante de todo o calor que fazia.

Os Pésujos não paravam de cantar na sua língua nativa, concentrados e pavorosos com os dentes à mostra. Não os largavam por nada. Só quando os dois perceberam uma mudança repentina e terrível de odor no ar foi que os Pésujos finalmente pararam. De onde estavam viram árvores que na sua maioria eram secas e sem vida. E diante deles descansava também um lago de águas escuras e tenebrosas como a noite mais trevosa, sem estrelas nem luar.

Abílio e Nadir se arrepiaram, engolindo os gritos rapidamente. Sentiam que no menor dos ruídos eram capazes de acordar qualquer criatura tenebrosa da escuridão daquele pântano fedorento. Entretanto, já era tarde demais. Movimentos sinistros marcavam ondinhas repentinas na água, tomando proporções maiores conforme o cântico dos Pésujos aumentava de volume e velocidade. A onda partia de onde parecia ser o lugar mais profundo do pântano de onde curiosamente erguiam-se árvores enormes com galhos retorcidos como se fossem garras afiadas e mortais de uma fera horrível.

— HUA HAA HAHA. — Faziam os Pésujos batendo os pés.

A água estremecia violentamente conforme a força gradativa das batidas. O movimento parecia evocar uma força das profundezas das águas, algo terrivelmente assustador. E quando por fim Abílio e Nadir sentiram seus corpos se estremecerem de medo, juntos foram arremessados lago adentro como duas iscas perfeitamente vantajosas para qualquer pesca de sucesso. Porém, nesse caso, os Pésujos não queriam pescar absolutamente nada.

Quando os dois mergulharam, sentiram a lama pegajosa debaixo dos pés. O lago era fundo para as pequenas criaturas, não para humanos como Nadir e Abílio. Por isso logo quando viram a possibilidade de estarem de pé outra vez, decidiram tentar voltar à margem aos pulos, pois suas pernas permaneceram amarradas, as mãos presas, de modo que só dentro da água pudessem se equilibrar. Exatamente nesse momento, sentiram algo enorme como um tronco de árvore boiando ao redor deles.

— Que peixe grande! — alertou Nadir, com a maquiagem borrada nos olhos, apontando para a coisa que agora parecia se multiplicar aos poucos.

De repente, outros tantos troncos se posicionaram colocando os dois numa roda. Abílio sacudiu a cabeça tirando o excesso de água que escorria para os olhos quando viu uma enorme boca cheia de dentes assustadoramente afiados e brilhantes surgir diante deles.

Nesse ponto, vocês devem estar se perguntando: “Será que a lenda dos jacarés-papa-macacos é verdadeira?” Ora, sim! A lenda do pântano que amedrontava Tino era tão real quanto a lenda do chupa-cabra é para todos nós humanos. Bastava acreditar que ela se tornava real.

— Veja bem, veja bem, veja bem... — disse um dos jacarés, exibindo olhos hipnotizantes e amarelos. — Veja bem se não são deliciosos macacos que caíram em nossa emboscada...

— E dos grandões... — observou outro, varrendo com a própria língua sua fileira perfeita de dentes pontiagudos.

— Vocês estão muito enganados — disse Abílio, reunindo coragem para falar. — Eu, eu não sou um macaco.

— Parecem da família — falou mais um dos jacarés.

— Um primo, talvez — disse outro.

Eram cinco jacarés que riam agora. Achavam graça do medo dos homens. Quando já não suportavam mais a palhaçada, de um em um, cutucavam-se para que cessassem os risinhos e deboches e se concentrassem no almoço do dia. Os Pésujos, enquanto isso, continuavam sua performance à beira do lago, atentos a bater seus pés. Aquilo, na verdade, era apenas um aviso para que os jacarés soubessem da chegada da comida.

— Macacos ou não, são aparentemente muito apetitosos.

Abílio empurrou Nadir para a sua frente com a força dos ombros na direção daquele que parecia ser o chefe dos jacarés.

— Tome essa daqui! — Desesperou-se o terrível homem, sem remorso algum. — Ela é um macaco bem forte. Podem comê-la se me deixarem sair daqui.

— Nada disso, seu orangotango enrugado — rebateu Nadir, devolvendo o empurrão. — Você é um macaco velho, de carne macia. Eu sou apenas um palito humano.

— Eu não sou um macaco! — gritou o homem, irritado. — Sou um ser humano. Tenho inteligência!

— Humanos? Inteligentes? — indagou o jacaré grandão, com sua voz grave e assustadoramente calma. — Vocês são humanos, então?

— SOMOS! — disseram os dois de uma vez.

— Aaaaaah! HAHAHAHAHAHAHA — riram os animais juntos, estremecendo o pântano todo.

— HAHAHAHA — continuava a gargalhar o grandalhão, chamado por todos de *Dentipodre*. — Não é todo dia que podemos nos dar ao luxo de mudarmos o nosso cardápio.

E continuou, chamando um a um dos jacarés enfileirados:

— Dentuço... Dentada... Dentifirme... Dentão... Hora do almoço. Especiaria: primo de macaco! HUAAAAAAAAAAAA!

E os cinco jacarés abriram suas bocas enormes ao mesmo tempo.

— NÃÃÃÃÃÃÃÃÃÃÃÃO!

NHAC.

CHOMP.

CHOMP.

NHAC.

NHAC.

Capítulo 21

A água negra do lago entrou em ebulição, assim como a agitação que se fez em terra quando os Pésujos finalmente tiveram certeza do sucesso de sua missão, explodindo de alegria ao ouvirem em alto e bom som um arroto estrondoso por todo pântano.

— BBBBBBBBBBBBBBBBBBBBBBBBUUUUUUUUURRRPPP! — Soltaram os jacarés-papa-macacos em uníssono, sumindo nas águas. Assim que terminaram de almoçar logo, logo veio o sono, dando-lhes uma tarde preguiçosa e inesquecível.

Os Pésujos, por sua vez, voltaram para suas casas que ficavam dentro dos troncos das árvores secas do pântano, onde decidiram entre guinchos e rosnados que naquele dia fariam uma festa em comemoração pela vitória conquistada. Beberiam a melhor bebida de sua aldeia, comeriam as melhores iguarias que pudessem fazer, mas não chamariam nenhum outro povo para celebrar. Eles tinham uma educação péssima, não dividiam nada com ninguém e tudo precisava ser do seu jeito. Por isso mesmo viviam de cara feia e pouco saíam do pântano. Ainda assim, a muito custo, conseguiram mostrar aos outros seres da floresta que podiam ajudar também e foi dessa maneira que conquistaram sua vitória.

Os jacarés aproveitaram a comida no estômago por mais dois dias, porém no terceiro foram surpreendentemente acometidos de uma forte dor de barriga, daquelas que desarranjam o corpo todo, não deixando sobrar nenhuma forcinha para viver. Morreram para o espanto de todos e a causa anunciada pelo curandeiro dos Pésujos foi:

— GRRRRPPP! — E isso queria dizer "comida estragada".

Os cinco cheios de dentes jamais foram esquecidos, principalmente pelos macacos que, ao saberem da notícia, fizeram uma grande festa dias depois. Tino, que havia sido atingido pelo veneno de Abílio e Nadir, foi quem organizou. O mesmo só pôde participar porque assim que desabou no chão foi resgatado por outros animais e sobre uma clareira próxima ao riacho, o Ancião dos Caraimundas e dos outros povos se reuniram para aliviar os machucados e curar os doentes. Surubim, assim que avistou ao longe os demais animais chegando, logo que fugiram da casa invadida, se posicionou na orla do riacho com os outros peixes e lhes atirou água pela boca. A bicharada, que não era boba nem nada, aproveitou a aguaceira para lavar seus rostos e, também, o corpo, aliviando e muito os efeitos do veneno.

Todos participaram e puderam perceber, principalmente o Ancião, que haviam guardado uma boa quantidade do remédio mágico para ser utilizado nessas grandes emergências. E viram que, se tivessem se precipitado a gastar mais do que deviam, não teriam tempo suficiente para fazer novos frascos e salvar outras vidas. Com o auxílio daqueles que ainda guardavam boa saúde, os animais desmaiados foram colocados sobre uma vasta esteira de folhas verdes, preparada especialmente para aquele momento pelas formigas sobreviventes. De um em um, o Ancião então foi derramando uma quantidade mínima do remédio mágico na boca pequenina de cada um dos animais desacordados.

Em poucos minutos, olhos cerrados foram abertos, revestidos de um brilho vivaz, o rosto tomando mais uma vez o rubor de vida e felicidade. O alívio foi unânime entre eles e enquanto os animais e demais criaturas se levantavam, um tanto perdidos por alguns poucos segundos, os líderes de cada povo entoavam aos sibilos palavras mágicas que intensificavam a potência curativa da fórmula de Teodoro. Só pararam quando o último despertou e esse era Martelo. O Caraimunda acordou num salto, olhando de um lado para o outro, acertando o vento com socos e chutes, preparado para vencer a batalha.

— Onde está você, seu abelhudo descarado?! — Foi dizendo, recobrando seus sentidos aos poucos.

Porém, vendo quem estava ao seu redor, de repente, os rostos pacíficos dos Anciões dos povos da terra trouxeram-lhe a certeza de que a luta já estava acabada. Observou a calmaria da floresta, o vento batendo suave pelas folhas das árvores, o sol reluzindo nas águas límpidas do riacho.

Martelo abraçou a todos muito emocionado, feliz por estar vivo e junto ao seu povo, são e salvo. Encontrou mais animais, despertando sobre a cama de folhas, mais irmãos Caraimundas, sua família contente, orgulhosos pelo trabalho de coragem que desempenhou na batalha contra todo o mal que lhes ameaçava a vida. Tino se levantou entre eles, abraçando os irmãos, beijando as mãos do respeitoso Ancião dos Caraimundas. Quando viram, a comemoração tomou peso, logo reuniu boa parte da floresta numa animação contagiante, certos de que a batalha contra o mal havia encerrado com sucesso.

— Que bom vê-lo com saúde! — disse o macaco, surpreso ao encontrar Martelo. — Eu sabia que se nos juntássemos para salvar as nossas vidas, aqueles Serimundos horríveis seriam derrotados para sempre.

— E se não tivéssemos tido a ajuda de Teodoro e sua família não chegaríamos até onde chegamos hoje — respondeu Martelo com lágrimas nos olhos, orgulhoso do amigo.

— Aliás, onde estão todos eles agora? — perguntou Tino, olhando para longe, lá para a entrada da floresta.

Sua cabeça foi acompanhada por tantas outras ao seu lado. Estavam todos muito curiosos pelo desfecho da história, ansiosos para terem a certeza de que todos estavam bem e salvos de todo perigo.

Aos poucos, uma poeirinha foi surgindo por entre as árvores. Passados alguns demorados, mas contentes minutos entre o despertar de um animal aqui e ali, a poeirinha foi ficando cada vez mais nítida e mais nítida até que o pontinho ao longe virava vírgula e para a felicidade geral, reunidos perto do riacho, debaixo da jabuticabeira, avistavam a cabeleira enferrujada de Teodoro e o restante de sua família, Graça, Augustos e João dos pepinos tomando forma. Traziam em suas mãos algumas bolsas e dentro delas havia mais frascos de remédio, caso alguém estivesse precisando. Entretanto, estavam bem, mas ainda preocupados.

— Menino Teodoro! — exclamou Tino, sentindo-se honrado por estar conhecendo o famoso criador do remédio mágico. Foi logo apertando sua mão, balançando tanto que acabara tonto. — Você é incrível, um menino inteligente e do bem. Criou algo maravilhoso e será para sempre lembrado por todos. Muito obrigado! Muito obrigado! Muito obrigado!

O menino riu. Augustos também riu, e logo todos riram uma gargalhada gostosa e alta. Quando o macaco soltou sua mão, Teodoro disse:

— Não há de quê! — E retribuiu uma saudação carinhosa que Tino acabara fazendo para ele, colocando uma mão na barriga e abaixando a cabeça levemente, sem tirar-lhes os olhos, com seu sorriso maroto.

Mas Teodoro parecia querer encontrar alguém. Esticava o pescoço, olhando todos aqueles animais ali reunidos, tantos outros Caraimundas comemorando com suas famílias. E do meio de tantos dele, Martelo apareceu para o alívio e felicidade do menino. Teodoro estirou-se de joelhos na terra, deixando suas mãos livres para receber seu amigo pequenino sobre elas. O Caraimunda aproveitou a aproximação do rosto da criança, abraçou-lhe as bochechas vermelhas, sujando-a de terra, sem se importar com mais nada.

— Você está vivo! Você está vivo! — repetia Teodoro. — Fiquei com tanto medo...

A algazarra dos animais e dos Caraimundas só cessou momentos depois, quando um grupo de pássaros despreocupados se juntou a eles em torno dos Anciões velhos para cantarem alegres. Era a melodia de sabiás do campo, tico-ticos e galos de campina, reunidos para cantar a última moda entre eles.

Três Azulões se juntaram e esquentaram a festa. O velho Ancião dos Caraimundas remexia os ombros ao som da música alegre e os outros começavam a se soltar também. Cada um aderia ao compasso, eles tentavam acompanhar o mesmo cantar da passarada aos assobios. E todos eram felizes, cheios de vida e saúde, sem nenhuma outra preocupação que os pusessem em desespero.

Teodoro estava emocionado com tanta beleza, entregue aos sons afinados. Se Martelo não o tivesse chamado por um momento, talvez ficasse ali a tarde inteirinha só apreciando a cantoria.

— Meu amigo, este é o presente mais belo da natureza... Todos o merecem, mesmo Abílio e Nadir... Aliás, espero que tenham aprendido a lição.

— Quando você ficou desacordado, Martelo, aconteceu algo inesperado — começou Teodoro, sem precisar elevar o tom de sua voz. Falava baixo para não atrapalhar a música. — Abílio e Nadir foram levados pelos Pésujos floresta adentro, logo depois que você sumiu de vista. Não sabemos ao certo para onde eles os levaram.

Tino, que estava prestando atenção na passarada, não pôde deixar de escutar o que o menino acabara de falar. Estremeceu por inteiro, pois sabia, antes mesmo de lhes passarem a certeza, de que Nadir e Abílio só tinham um destino tendo sido levados pelos Pésujos para o meio da floresta. Só um. Ele voltou a Teodoro e Martelo e disse:

— Não sei vocês, mas acredito que eles foram levados para o pântano. O mesmo pântano dos jacarés-papa-macacos.

— E virado lanchinho deles! — disse Martelo, pondo as mãos na cabeça e não querendo imaginar a cena.

— Os jacarés do pântano são conhecidos por comerem... — Tino fez uma parada dramática, sussurrando o resto de sua fala. — Por comerem macacos. Se Abílio e Nadir não aparecerem mais na fazenda é porque foram confundidos com macacos e devorados por todos eles.

— Todos eles? — perguntou Teodoro, apavorado.

— Sim, são uns cinco jacarés famintos e tão maus quanto Abílio e Nadir — respondeu Tino, sentindo um medo irrefreável crescer no peito.

— Bom, torço para que se forem levados para longe da floresta, que nunca mais voltem! — Martelo cruzou os braços, decidido.

— Nunca mais! — repetiu Tino, voltando a atenção aos pássaros.

Teodoro olhou ao seu redor por mais um instante e sentiu no estômago um friozinho gostoso de satisfação. Estava muito feliz pela vitória e muito orgulhoso de si. Havia feito algo grandioso, sabia disso. E logo seria capaz de salvar tantos outros animais e seres de todos os cantos do mundo contra as armadilhas tenebrosas de pessoas mesquinhas e egoístas como Abílio e Nadir. Sua fazenda tinha sido curada, os Caraimundas desmaiados foram despertados e logo mais tarde a receita do remédio seria aprimorada.

Saber que a sua invenção trouxera tantos resultados positivos foi um grandioso salto para fazê-lo se transformar num conhecido cientista, defensor dos animais, realizando seu sonho de infância, assim que se tornara adulto. Seu remédio ficou batizado para sempre como *Fórmula Mágica de Teodoro*.

Ele, era claro, nunca imaginou ficar tão famoso, porém continuou acreditando no seu potencial criativo e com isso pôde ajudar muito mais animais por onde passava.

Foi para diferentes países, deu entrevistas, apareceu na tevê, fez canal no YouTube e ajudou seus pais e seu avô a cuidarem da fazenda e das plantações de um jeito eficiente, sem precisar de agrotóxicos e pesticidas. Provou para todos que isso era possível, sensibilizando uma enorme quantidade de pessoas que ainda compartilhavam da maneira diabólica de Abílio e Nadir. Por isso também, os Caraimundas e

Teodoro permaneceram leais uns aos outros, consolidando sua amizade com muita alegria e luta pelo bem da natureza.

Por debaixo de sua casa, na fazenda mesmo, foram construídos milhares de túneis e buracos onde outros tantos Caraimundas construíram seus lares aconchegantes. Sua maioria foi feita bem debaixo do quarto de Teodoro. Martelo, por sua vez, fez morada ali. Casou-se com outra Caraimunda de nome Rosa, uma criatura adorável, mas cheia de atitude, que ajudava o marido nas batalhas diárias, mas que adorava passar as tardes com Martelo no quarto de Teodoro tomando café e comendo milho com manteiga.

Os Caraimundas moram em diferentes partes do mundo e, por isso, com o passar dos tempos, acabaram se tornando os principais responsáveis por grande parte da fertilização natural dos solos, tendo participação essencial na saúde das plantações afora. E que não importava bem o local. Podiam ser encontrados no quintal singelo de uma casa, num canteiro de ervas, num jardim de um condomínio ou nas ruas agitadas de qualquer cidade.

Teodoro, ainda adulto, conseguia a companhia deles onde estivesse. Por isso, nunca se sentia sozinho, tendo a certeza de qual fosse o desafio a enfrentar, eles estariam ali para ajudá-lo, assim como ele e sua família estariam sempre ao lado dos Caraimundas para o que estivessem precisando.

Agradecimentos

Em primeiro lugar, gostaria de agradecer a minha editora, Catia Mourão, pelo apoio extremamente genuíno oferecido aos meus livros. Se não fosse pela sua confiança nada disso teria acontecido; a Hanny Saraiva que brilhantemente revisou essa obra e com muito cuidado e gentileza me apontou o melhor caminho a seguir. Meu muito obrigado ao ilustrador Felipe Amorim por dar ainda mais vida aos meus personagens tão queridos; a autora Halice FRS por ter lido essa obra com tanto carinho (e olhos de águia) e por me transmitir dicas brilhantes de escrita.

Sou grato a Iara Oliveira (Coordenadora do Projeto Eco Rede) por ter me sensibilizado ao tema desse livro, possibilitando que ele fosse trabalhado de forma mais fácil.

E, acima de tudo, agradeço aos meus leitores por estarem levando meus livros a lugares nunca antes imaginados. Continuem sonhando com a Cidade dos Livros, lendo sem parar, acreditando que através da leitura podemos ganhar o mundo!

Amo contar histórias para vocês!

www.lereditorial.com

@lereditorial